新潮文庫

# 愛をください

辻　仁成著

新潮社版

7309

目次

1 本当の気持ち隠してるカメレオン 9
2 白鳥になりたいペンギン 53
3 片足でふんばるフラミンゴ 73
4 おしゃべりな九官鳥 129

5　心に棘《とげ》を生やしてるサボテン　181
6　徹夜明けの赤目のウサギ　219
7　どこか隅の方で僕も生きてるんだ　243
辻仁成　作品リスト

# 愛をください

# 1　本当の気持ち隠してるカメレオン

拝復

長沢基次郎《もとじろう》さま。あなたからの突然の手紙に私はいったいどうすればいいのかわからず、最初はほったらかしていたのですが、それから数日、それを眺めては裏返し、あるいは便箋《びんせん》や封書を何度もひっくりかえしたり、そしてついには再び読み直してしまい、結局自分の行動としては十八歳になる今日まで、全く理解できないことに、こうしてお返事をしたためている次第です。だって、あなたのことを私は何も知らないのです。なのにあなたはたしかに私宛《わたしあて》に手紙を書いてきた。会ったことも見たこともない人間から、送られてきた唐突な手紙というものほど奇妙なものはありませんし、ましてやそれにお返事を書くなんて。

そのことを養護施設の友人に話したところ、一人は私たちのような立場の人間への同情のようなもので、誰かを助けたくてしかたのない幸福のありあまった人間の余技のようなものだろうと笑い、残りはメール感覚の軽い信号のようなもの、あるいは悪質な宗教団体の勧誘のようなものかもしれない、と警告さえされてしまいました。

私も最初はそれらのどれかだろうとかんぐり、私が返事を書くまでもないものだろうと思って机の上にほったらかしにしておいたのです。しかし夜が明け、朝が来て、世界が再び躍動的に動きだしたとたん、なにか机の上に無造作に置かれた一通の封書が、変な言い方ですけど、世界の果てから私をさがしだそうと送られてきた遺産管財人からの手紙に思えてしかたがなくなってきたのです。

そう思うと、昨夜までの疑念などどこかへと消えてしまい、むろん完全にあなたのことを信じたわけではないのですが、いやあなたの手紙にも書かれてあった通り私は人間を信じることのできない人間ですから、疑いを捨てきれないままと言った方が適切でしょうが、疑って疑って疑りぬいたあげくに、再び手紙を開いてしまっていたのです。

そしてそこにつづられた文字のていねいな配列を眺めているうちに、そこからにじみ出す不思議な温《ぬく》もりとでもいうのでしょうか、優しい雰囲気というのかしら、あるいはわきまえた気づかいや配慮と言ってもかまいません、文面そのものに悪意が存在しないような気がしてきて、はっきりとそう確信したわけではないのですが、なにかいっそう奇妙な誘惑にかられてしまったのです。

奇妙な誘惑だなんて、ますますおかしな言い方ですが、誤解しないでいただきたいのは、私が孤独だからそういう誘惑にかられたのだろうとは思ってもらいたくないのです。もちろん、孤独です。孤独だから死を考えた。そのことは詳しく後で話すとして、こうして手紙に返事を書こうと思った一つの動機は、あなたが私に会ったことがないにもかかわらず私のことをよくご存じだったという点です。

北海道から出たことがないというあなたが、どうして東京で暮らす私の性質をこれほど正確にお当てになるのか不思議でしかたありません。

児童養護施設で長いこと暮らしてきた身ですから、人間を信じるのは苦手な方だと思います。宗教観というものからも無縁です。神や仏はいない、いや、もう少し厳密に言うならば少なくとも私にはいない、と思って生きてきた人生でした。だから人を信じるのが苦手でしょう、という指摘は誰にでも簡単に見ぬけることなのだろうと思うのですが、あなたはその先にこう付け加えていらっしゃいました。

でも李理香《りりか》さんは、人間を信じたくてしかたがない人なんだ、と。

悔しいけれど、その通りでした。人間を信用したことが一度もない、人間を信用できない私が、心の底から望んでいることはつまり恐ろしく馬鹿《ばか》げたことなのだと思うのですが、一方で、一生に一度でいいから人間を信じてみたいということでもあります。

私は人を好きになったことがありません。それは恋とか愛とかそういう通俗的なものの範疇《はんちゅう》の話ではなく、普通に、何をもって普通というのかは勝手に想像していただくとして、とにかく普通に、ただ好きになるということでさえ、できた試しがないのです。

この同じ境遇の施設の仲間たちにさえ、残念ながら私は好感という感情さえも抱いたことはありません。ですから、未知の存在であるあなたからの手紙に返事を書くなどということは全くもって理解を越えた出来事だと言わざるをえないのです。

知っている人間からたまたましかたなく送られてきた手紙にさえ、返事を書いたことはありません。電話ですむなら電話で、全《すべ》てを片づけてきました。

人間を信じたくてしかたがない人なんだ、とはっきりと言われたことが一度もなかったせいもあるでしょう。私みたいな頑固でごうじょっぱりで、精神のひねくれた人間にこれほど明確に直球の言葉を投げつけてきた人がいなかったのもまた理由の一つではあるのです。

李理香さんは、みんな人間は馬鹿だと思っていて、人間はみんな薄汚いと思っていて、人間はみんな人間をだますために生まれてきた、と思っていながら、あなたは一方で人間に愛されたい、と願ってやまない人なんだ、とも書いておられましたね。それだけなら私は大きく反発したでしょう。しかしあなたは、こう付け加えています。李理香さんはただ、その方法がわからないのでいつも死にたくなるのでしょう、と。その最後の一文は認めたくないけれど当たっている。

私は社交的な人間ではありません。でも施設の中ではどちらかと言えば社交的に見られがちなのです。明るくないのに、表面だけ、つまり私が生まれながらに作ってきた対社会に向けての外づらというのか、仮面だけを見て、周囲の人たち、特にこの星の光児童養護施設の先生たちは、私を明るい人間だと決めつけているのですから、ますます私は孤独、いえ孤立していくわけです。

別に私が施設で育ってきたから暗いのではありません。私は愛という言葉がはき気がするくらい嫌いでしかたがないのです。愛なんて言葉を発明した人間の陽気さと楽天的な性格がうらやましくてしかたがないのかもしれません。

愛される、あるいは、愛する、という行為の全てに反発したくてしかたがありません。でも私は普通の連中のように暴力を使ったり、反抗をしたりはしません。どんなに過酷な虐待《ぎゃくたい》を受けても、ここを脱走することはなかった。ひたすら世界を黙殺するだけです。

でもどうか、誤解なさらないで。私に親がいず、捨てられた人間だから、愛を理解できないのではないのです。愛されているふりをしている可哀相《かわいそう》な人間と同類になりたくないだけ。

だって、世界の99パーセントは嘘《うそ》でできていて、誰もがみんな幸福そうな顔をしては嘘をつきあって、孤独なくせに孤独じゃないふりをしてメール仲間を増やしたりしている姿は、愚かすぎて同情もできないし、呆《あき》れ果ててまねる気にもなりません。偽物《にせもの》の愛の中にいることで安心できる人たちがうらやましいと言えば、そうだとも言えます。しかしいつかは化けの皮をはがされるほどの薄っぺらい仮面をかぶるくらいなら、汚いけれど素顔で生きていた方がまだ楽なのです。

いつもそんな風に思っていました。だから死への憧《あこが》れは、つまり偽物からの離脱という美しい響きを持って私に迫って、私をそそのかすのです。

あなたはこう言いましたね。死に憧れるのは、愛を信じるのと同じだ、と。ならば本当の愛をさがしだし、そこにひたる人生を経験してみるのも悪くはないのではないか、とも言ってくださいました。どうしてそんなことが言えるのか、私はあなたが誰でどんな人で、どんな理由があって私にこんなお節介、いいえ、同情をお寄せになるのか少し知りたくなっただけなのです。正直、私はこの手紙に引き寄せられながら、同じくらいの怒りをおぼえてもいます。ものすごく巨大な陰謀団のようなものがあなたの背後にあって、私はその罠《わな》にかかった哀れな子羊なのかもしれない、と想像しては少し不気味な気分にもなりました。でも今の私は陰謀団にからめとられても失うものは何もない。だからこうやって恐れを捨てて返事を書いているのだと思います。

よけいなお世話をする人だと、無性に腹が立ちながらも、一方で私はあなたに返事を書いてみたくなったのです。

そういう人生の中にいた私に、会ったこともない人間からの、まちがい電話のような手紙が舞い込んできたことは、最初、この上なくこっけいな出来事でしかなく、さらに言えば、退屈していた人生のちょっとした余興にはもってこいの出来事くらいにすぎなかったのです。私は半ばその手紙を軽蔑《けいべつ》して読み、施設の仲間たちと馬鹿にしてはからかい、それをろくにちゃんと読みもしないで机の上に放り投げては、いつしかその存在すらすっかり忘れていたくらいでした。

でもなぜ、あなたからの手紙を破り捨てなかったのでしょう。馬鹿にしながらも私があなたからの手紙に興味を抱いていたのは事実でした。再び便箋を開いてからは、もう文字が眼球に焼きつくまで何度も何度もそれをくりかえし読みつづけました。そしてついにこうして手紙を書き出したのです。

書き出してみると、何か楽になることができたように思えます。素直になれた、と言うのは大げさですが、言いたいことをふだん言わずにお腹《なか》の中にため込んで生きてきた人間としては、なんだか少し救われたような感じがします。

救われついでにさっきの話に戻りますが、私は死というものにこのところとりつかれていて、一月ほど前にも自殺未遂のようなことをして、大騒ぎを起こしたばかりだったのです。今年に入ってから自殺をしようと考えたのは何十回にもなります。実際に行動を起こしたのは先月が初めてですが死というのは簡単そうで、意外と複雑な手続きをふまないと向こう側へとは連れ出してくれないもののようです。

あなたの手紙の中にあった「死に憧れるのは、愛を信じるのと同じだ」という一文は私の心に突き刺さりました。普通の人は意味を理解するのが難しい文でしょうが、私の今の立場だと理解は容易です。私はつまり愛を信じる勇気が持てなくて、結局死という手っとり早い結論を選択しようとしたのですが、不幸なことに、あるいは幸福なことに、私はしくじってしまうのです。

手首の切り方などというのは映画の中でくらいしか見たことがないし、実際どこをどう切っていいものかなんてわかるはずもありません。頭の中は死ぬことだけにとらわれているわけですから、気がついたらカッターで手首を五センチほどそいでいました。しかしそれだけでは人間は死なないものらしいのです。変な言い回しですが人間って意外と丈夫なんですね。発見が早かったせいもあると思います。

園の仲間たちからは、みんなの同情を引きたくて死ぬまねをしたにすぎない、と厳しく指摘を受けました。確かに洗面所で手首を切ったものの、それからどうしていいのかわからずそこにうずくまっているところを園の人に発見されてすぐに救急車で病院へと連れていかれてしまい、ナイフが動脈に達していなかったことで、命には別状がないばかりか、多少の出血はあったものの、一晩で退院となるおそまつぶりだったのですから、連中にそんな風に言われてもしかたのないことだと思います。

園長は、自殺未遂を伏せるために、単なる事故のようなものだという報告を警察にして、私の最初の自殺未遂事件は闇《やみ》に葬《ほうむ》られてしまいました。と言うのも今星の光児童養護施設は園長をはじめ幾人かの先生たちによる長年の児童への虐待が問題となって、マスコミに叩《たた》かれている最中でして、私の件が公《おおやけ》になれば再びマスコミの攻撃の題材になると彼らは恐れたのです。この園での生活をいちいちあなたに報告するのもどうかと思いますが、児童虐待は私が幼児の頃から日常茶飯事で、人間を人間とは扱わない暴君、佐々木園長の下、児童はみな日々恐怖におののき、あいつぐ脱走者を出しているのです。そのうちの何名かが新聞社に逃げ込んで、事情を説明したことがきっかけで、去年くらいからマスコミでもいろいろと取り上げられるにいたり、園側も虐待を自粛していた矢先でした。

新聞社に逃げ込むまでどうしてここの虐待が発覚しなかったかと不思議でしょうが、区や都の児童相談所に逃げ込んでも（都知事に手紙を書いたこともあったのですが）、警察に逃げ込んでも、適切な対応をとってもらえないばかりか、私たち孤児の言い分など誰も聞いてくれず、また信じてももらえなくて、脱走をした者たちはふたたびここへ送り返され、いっそうの虐待にあう羽目におちいったのです。

そういうことのくりかえしでしたから、私は死んでもかまわないとずっと思っていました。抵抗というのではありません。これも黙殺、社会そのものを黙殺するための人間としての最後の手段であったわけです。

ただ面白いのは、自殺未遂をした私だけは叱《しか》られませんでした。むしろ、同じことをこの時期にくりかえされては困るとの判断が働いたためか、あの鬼のような園長でさえ、触らぬ神になんとやら、という感じで愛想さえふりまいてくるしまつです。

私がすでにここでは最年長であるということも理由の一つかもしれません。社会が私の発言を少し真剣に聞くようになってきた、ということでしょう。しかし、園での虐待を訴えたくて死のうとしたのではないのです。私の死への願望は人間そのものに対しての絶望から来ているのであって、ここでの生活が影響をおよぼしたことは事実ですが、私に言わせれば、私を捨てた親や社会そのものへの恨みの方が、ここでの虐待よりもずっと大きかったとはっきり申しておきます。

ああ、それにしてもどうして見ず知らずのあなたにこのような長い手紙を書いているのか、自分の気持ちに整理がつきません。きっと私はさびしいのでしょう。そしてそれは多分あなたの思うつぼなんでしょうね。陰謀団の一員かもしれないあなたに、自分の全てを語っている私はそれほど孤独だということですね。哀れだと思うべきなんでしょうが、心も神経も魂も麻痺《まひ》していていうことをききません。

この手紙を投函《とうかん》するのかしら。手紙をしたためながら、わからなくなってきました。あなたは一体誰なんですか？　どうして私宛に手紙を送りつけてきたのでしょう。どうでもいいことではあるのですが、やはり少し気になります。でも、お返事を待つというのは苦手なので、あなたからの返事を期待するつもりはありません。ただ自分の気持ちを宇宙に放り出すような気分でこの手紙を書いてみました。ただ、それだけ。ただ、それだけの意味のない手紙。

このような長い手紙を生まれてはじめて書くせいか、ものすごく時間がかかってしまいました。辞典を何度も開いては、なれない漢字を引いたせいで、字が読みづらいかと思います。くわえて乱筆乱文おゆるしください。

草々

十月十日
遠野李理香

長沢基次郎様

前略
僕が誰か、という質問に答える前に、まずどうして君に宛《あ》てて手紙を書いたのか、ということを説明しなければなりませんね。君が自殺未遂を起こした直後に、君のいる星の光児童養護施設のある先生が、私のもとに一通の手紙を送ってきたのです。内容は、君を励ますために手紙を書いてほしい、というものでした。李理香さんが自殺未遂を起こした時の様子なども文面には詳しく記されており、加えてふだんはおとなしく、成績も優秀で、賢い子だとも書かれていました。

実は僕も養護施設の出なのです。今は函館《はこだて》山のロープウェイの運転士をしていますが、五歳の時に親に捨てられて僕は函館にある養護施設友愛園に預けられることになります。五年ほど前に、函館山ロープウェイ株式会社というところに就職しました。

もっとも運転士といってもゴンドラに運転席はなく、麓《ふもと》駅にある見晴らしのいい運転室から、登っていく、あるいは下ってくるゴンドラを眺めては操作をする勤務についています。いつも運転ばかりというわけではありません。運転をしない時は、山頂駅か麓駅で、乗り降りするお客さんの誘導とかもします。とにかく、ゴンドラが無事に上まで登って、下まで下りてくるのを見届けるのが僕の仕事というわけです。

話がそれましたが、あなたと友だちになってくれないか、と頼んできた先生と僕の前の施設の先生がかつて同僚だったのです。こういう子がいるのだが、同じような気持ちを分かちあえ、彼女を励ます兄のような人はいないだろうか、とその方から僕の前の担任宛てに連絡があったのはひと月ほど前、つまりあなたが自殺未遂を起こした直後のことですね。どうして僕が選ばれたのかはわからないのですが、その話は僕のところに巡ってきて、同じ経験、つまり自殺未遂のことですが、僕も君ぐらいの年齢の時にやはり何度かそういう経験をしては失敗をくりかえしたという経緯があったので、多分そういうことでお話が来たのだろうと思いますが、その先生の熱意にも心が動かされて、まあ自分でよければ、とその役を買って出たのです。

しかし実際に最初の手紙を書きながら自分のお節介な性格に多少うんざりしてしまったのも事実です。だって、会ったこともない人間を励ますだなんて、それほど難しく大変なことはないのに。

それを簡単に受けてしまった自分の無責任さとうぬぼれにちょっと恥ずかしい気持ちがしました。そのせいか、最初の手紙は、書き上げるまでに二日もかかってしまったのです。

お節介と言われればお節介だし、陰謀団みたい、と言われれば確かにそうかもしれない。でも少なくとも君が思っているほど世の中はひどいわけではないと僕は思う。君の施設もひどい先生たちばかりではない、ということも知っておいてほしい事実です。

その先生からは、くれぐれも自分のことはないしょにしておいて、と頼まれたのだけれど、でも僕が手紙を書くまでの経緯をないしょにしておくのは難しい。だって、いきなりあんな手紙が舞い込めば誰だって、これはなんだろう、と驚くだろうし、懐疑するでしょう？　どうせいつかはその先生の名前もばれてしまうのだろうから、早い時期に明かしておいた方が賢明だと思うので、僕の独断でばらしてしまいますが、ある先生とは、君もよく知る三原典子さんのことです。

その方とは、お会いしたことがないので文面から判断するしかないのですが、本当に君のことを心配してらっしゃいました。いつも本ばかり読んで友だちも少ないませた君に、年齢的にもつり合って、同じような気持ちが理解できて、同じ境遇を生きた年上の相談相手を縁結びさせることで、君に世の中とつながる方法を持たせようと考えたようでした。やっぱり陰謀が隠されていたね。これは確かに立派な陰謀だ。でもどうか曲解しないでほしいのは、三原さんは三原さんなりに真剣に考えて、やっとこさひねり出した方法で、僕はと言えば、ボランティア精神でこの趣旨に賛同して手紙を書いているのではなく、同じような人生を生きているまだ若い君に、少し年長のやはり同じような経験を生きてきた僕がなにかしてあげられないものかと、まるで（ちょっと大げさな言い方だけれど）妹に対するような気持ちで手紙を書いたのです。

ずいぶんと長い説明になってしまったけれど、これまでの経緯、理解していただけましたでしょうか。

なんでもその三原先生は、園では君と一番仲のいい先生なんですよね？　でも君は誰も信じていないとも返信の中に書いていたから、あるいは三原さんの勝手な思い込みかもしれませんが。少なくとも、三原さんはそう言ってました。園の体質と園長に問題があることも彼女は嘆いていた。自分の力が足りなくて、いつも子供たちを守ってあげられない、ともらしていたけど、僕は彼女は信用できる人じゃないかなって、いただいたていねいな手紙を読むかぎりはそう思いましたよ。

君はあと半年ほどで園を出なければならない年齢ですよね。三原さんは卒業後のことを心配なさっていました。自分がもう君を見ていてあげられなくなる、ということで。またいつ、自殺をくわだてるかわからないから、少なくとも相談相手がいたら、何かのストッパーの役目にはなるんじゃないかって。三原さんにとっては、自分に何の相談もなく自殺をしようとしたあなたのことが心配でしかたがないのだと思います。君にとっては小さな親切大きなお世話って話かもしれないけど、あの人はあの人なりに、君の未来を心配しての判断だったようです。

これで、僕が君に手紙を書いたその理由というのを君が知ったことになるわけですが、気分を害しましたか？　君の自尊心を傷つけてしまってはいないかちょっと気になるけど、正直に言いますと、君に宛てたあの手紙は君を励ますために書いたものかではなくて、十八歳の時に死のうとした自分へ向けた手紙でもあったんです。あの時、僕は周囲からかなり孤立していて、誰にも自分のことを打ち明けられなかった。だからね、死に憧《あこが》れるのは愛を信じるのと同じだ、と言ったのは、あれはあの時、本当は自分こそそうだったのだろうって、当時の自分へ向けて書いていたものでもあるんです。

三原さんの依頼を利用して、あるいは李理香さんとの偶然の出会いを利用して、やり切れなかった孤独な十八歳の自分へ向けて、大人になった二十三歳の今の自分から、お前は本当は、人を信じてみたいと願ってやまないんだろうって、伝えてやりたかったわけです。

僕が通っていた施設でも、似たような虐待《ぎゃくたい》がありました。僕はどちらかというと世渡りのうまい方だったので、それほどひどい体罰を経験したことはないし、自分の置かれた境遇にいつまでもめそめそする方ではなかったのですが、虐待を受けるグズな園児を見ているとなんだかむなしくなってしまって、それがまるで自分自身に向けられた刃《やいば》のような気がしてきて、それでいつしか厭世《えんせい》的な気分になってしまったというのもあると思います。何が自分を死へと駆り立てるのか、あの時は全くわからなかった。孤独だからとかそういう単純な理由ではなくて、なんと表現したらいいのかな、たとえば、虚無感のようなもの、むなしさだけがつまった缶詰のような気分がしたものでした。

社会に出てからは少しずうずうしくなったというのか、ちょっとは前向きに生きていくことができるようになったので、それは多分、会社で出会った連中がいいやつらだったせいもあるでしょう、そういう社会での恵まれた出会いのおかげもあり、それからはまだ一度も自殺をしようと考えたことはありません。自分を受け入れてくれる社会がここにあると思えたせいもあるのか、と考えます。居場所のなかった自分に、はじめて与えられた居場所がロープウェイの運転士という仕事で、だから僕はこの仕事を天職だと信じて、今は普通に、そうです、まさに普通に生きているのです。

だから、僕は君の気持ちを少しは理解できるんじゃないかなって思っているし、君を応援できるんじゃないかな、とも考えています。

確かに僕はお人好《よ》しで、なんとなく同じような境遇の人間をほうっておけない単純な性格も持っているわけだけど、でも哀れんだり、同情したり、だまそうと思って、手紙を書いたのではない、ということだけは最初に理解してください。

うまく説明できなかったけれど、君に気持ちが伝わるのを願うばかりです。

もしよければ少しのあいだ、文通を続けてみる気はありませんか？　別に先輩面《づら》するわけじゃないし、同じように親のいない者同士で仲良くなってつるもう、というわけでもないのです。こういうのって何かの縁みたいなものがあるんじゃないかなって感じているだけなんだけど。

何かの縁。

人間がこの地上に何十億と存在していることを想像すると不思議な気分になりませんか。その確率の中でこうして出会うのは、天文学的なめぐり合わせなんじゃないかなって思います。それだけの縁があって、こうやって君は僕に返事をくれたわけでしょ。僕としてはそういう縁を大事にしてみたいなって今、考えはじめています。

言いたいことを言える相手というのはいますか？　僕はそういう友だちがかつてはいなかった。今はこの仕事をはじめて、会社の中と外にたくさんの友だちができました。死のうと考えていたあの頃は誰にも本当の気持ちを明かせなくて、苦しかった。会ったこともない君だけど、君が死の誘惑から抜け出て、いつか生きていて良かったと思える世界がそこにあることを僕は、そう、知っているだけに、君になんとか伝えたいと考えています。とてもお節介な話なんですが……。

今、僕は生きてて良かったなって思っています。その気持ちを君に伝えたいし、人生はまだこれからなんだってことも伝えたい。

天涯孤独に生きてきた自分だから、君を妹のように思えるようになれたらいいなとも思います。それくらいの気持ちで、君と手紙のやり取りをしてみたい。

今流行《はや》りのメールでもいいんだけど、確かな手触りというのか、手紙って、ちゃんと残るでしょ。引き出しの中から取り出しては眺め、裏返したり匂《にお》いをかいでみたり、筆跡で相手の心の動きまでよく伝わってくるような気がするでしょ。だからそれを大事にしたいので、メールじゃなくて、手紙にしたいのです。いちいちポストまで投函しに行かなければならない、ということも、その面倒くささもまた、大切なことだと思うのです。

ただ文通をしようというのも何か味気ないものがあるから、何かこの手紙のやり取りの中に小さな試みを加えてみたいと思います。僕にも悩みはあるし、誰かに本当のことを打ち明けたいと思う時はある。だからこの文通を通して、二人だけの秘密を作るというのはどうでしょう。

つまり、この文通の中でだけ、お互い誰にも言えない真実を語る、という約束をするのです。ああ、それはいいアイデアだ。自分で書いておきながら、少しこの思いつきにここちよい身震いを覚えました。

会ったこともない人間なんだし、何も恐れることはないと思う。君はもうすぐ卒業で、たとえ僕たちが知り合うきっかけが三原先生と僕の前の担任という第三者による架け橋があったとしても、でも社会に出てしまったら、もう施設の先生たちなんて何の影響もないわけだし。

会ったこともない人間同士が真実だけを語り合うなんてことができるのか。確かにね、いっぺんに心を開くことはお互いできないとは思うけど、でも時間をかけて君と秘密を分かち合ってみたい。

たとえだけど、こういうのはどうでしょう。一つの完璧《かんぺき》なルールを作ってみるのです。絶対にお互い会わないというルール。馬鹿《ばか》げたルールかもしれないけど、僕は面白いと思うな。

この文通は宇宙との文通だとお互い思うようにする。すぐに会えちゃう人だとかって思っちゃうと、恋心とかがどっちかに芽生えたりして、関係が崩れそうでこわい。君が僕に恋することはないかもしれないけど、僕の方が君に恋をしても、最初に会わない、としっかりと約束しておけば、そういう対象としてはお互い見ないことになると思うんです。そうすれば真に手紙の中だけの幸福な関係でいられる。それは男とか女とかいうジェンダーを越えて、本当の友だちになる唯一《ゆいいつ》の方法でもあるような気がします。

人間は顔を突き合わせてしまうからいけないのであって、会わなければ、いや会わないと最初から決めていれば、心の交流だけですむ。それは純粋な関係を構築するすばらしいアイデアだと思うのですが。

この文通は一生つづくかもしれない。一生だなんて、大上段にかまえなくとも、気が向くかぎりつづけるというのでもいいと思う。僕には本当のことを全《すべ》て話せる友だちはまだいません。二十三歳になったばかりだからしかたがないことだけど、そういう心でつながった友だちというのには憧れる。しかも、全てを知り合っているというのに、一生会わない人だなんて、とても不思議でロマンティックですばらしい、と思いませんか?

李理香さんが、このアイデアに飛びついてくれれば、僕はぜひこの突拍子もない考えを実行してみたいのですが。

僕の方から、まだ誰にも話したことがないことをいくつか白状してみましょう。まず第一に、僕は五回、自殺未遂を経験しています。最後が高校三年生の時で、この時は大量の風邪薬を飲んで、三日間、生死の境をさまよいました。

でもこれは秘密とは言えないですね、地元の新聞には載ってしまったので、周囲の連中もみんな一応知っていることです。じゃあ、これはどうだろう。僕は、まだ女性とつきあったことがありません。好きだと告白されたことはありますよ。時々ですけど、何を勘違いするのか、僕なんかのことを好きだと言ってくれる女性はいます。でも、それが恋に発展したことは一度もないんです。それに自分から誰かを好きになったこともまだ今のところないのです。女性と面と向かうと緊張してしまう性格のせいでしょう。手紙だったら、こんなに流暢《りゅうちょう》に考えていることを伝えることができるのですが、面と向かうとダメなんです。だからね、おかしなことを言いますが、僕はまだ二十三歳のこの歳《とし》まで、童貞なんです。

まだ二回目の手紙で、こんなことを書いてしまうなんてね。でも約束を取りつけるためにはこれくらいのことは覚悟して告白しないと。なんといっても真実だけを語り合う仲を目指すわけだから。

君みたいに他人を、誰も信じることができない、愛せない、というのではありません。それほどかたくなではないと思います。愛してみたいと必死なんだけど、まだうまくコネクトできないだけ、かなり不器用な方でしょう。愛せないのではなくて、愛し方がわからないというのが正解でしょうね。そしてこれが僕の真実の姿です。

お返事を待ちます。気が向いたら、気が向いたついでの時でいいので、いつでも手紙をください。

長くなってしまったけど、今日はここで筆をおきます。君には僕の気持ちがわかってもらえるんじゃないかなって、どこかで期待しているところがあるのです。だって君は、人間を信じたくてしかたがない人なんだから。

十月十八日
長沢基次郎

遠野李理香様

拝啓　長沢基次郎様

すぐにお返事を戻せなくてごめんなさい。いきなり文通をしようと言われても、そういう誘いを今まで受けたこともなかったし、それにそのきっかけが三原先生の差しがね（ちょっと皮肉を込めてそう言わせてもらいますが）、あの人が仕組んだものであったこともなんとなくふに落ちなくて、いろいろとまた悩んでしまっていたのです。

三原先生は確かに星の光の中では、他の過激な人たちに比べるとまともな方だとは思うのですが、あの人が私のことをそこまで心配してくれていたとはどうしても思えなくて、なんか疑えばきりがないのですけど、確かに最近は私も成長したし、関係も良好ではあるのですが、小学生くらいの頃は本当に意地悪な人でした。母親のような気持ちで接しているから、こうやって本気で怒ることができるのよ、とブツたびに言い訳のようなことを言ってました。先に反抗したのはこちらだから、ブチたくなるのはわかるのですけど、私の右の頰に小さく残ったアザは小学三年の時、鉛筆で刺された時のものです。三原先生は、優しい時と豹変《ひょうへん》する時があって、どっちが本当の顔かはいまでもわからない。まあ、もうこの施設ともお別れなので、関係ないことなんですけど。

だとしたら、あなたを私と結びつけようとした後ろには何か別の意味が隠されているんじゃないかなってかんぐってしまいました。たとえば、今社会的に星の光の虐待が問題になっている時に私に自殺されると困るわけだろうし、そういう裏のもう一つの事情があってのあなたへの依頼だったのではないかなとも想像できてしまいます。だって、佐々木園長と三原先生は恋愛関係にあるとの噂《うわさ》も園の仲間たちの間にはあるんだから。もっともこれはあくまで噂であって、本当かどうかはわかりませんが。

こんな風に疑えばきりがないので、直接先生に聞いてみることにして、あなたからお手紙をいただいたことも話してみました。三原先生は、心配だったから相談相手になってくれる心優しい同世代の人を探したのよ、と正直に自分が関与していることを白状しました。先生は涙さえ浮かべてみせて、自殺なんか考えないで頑張って生きてほしいから、友だちのいないあなたの話し相手をと思って出すぎたまねをしたんだ、とつけ加えて言うのです。私は思わず、そういうお節介は迷惑です、と感情的に返してしまいました。

しばらくは三原先生の罠《わな》には絶対にはまらないぞと、心にきつく命じていたのですが、二日ほど前の夜、もう一度あなたからの手紙を机の引き出しから取り出し、読み直してみて、いえ、朝まで何度も何度もあの二通の手紙を読み直してみたのですが、三原先生の意図とは別に、文通をつづけてみたいとどこからともない気持ちが起こってきて、それは私を一日中ずっと揺さぶりつづけて離さなかったのです。そして今日、ついに我慢できなくなって学校から戻ってこうしてお返事を書きはじめました。

孤独で、誰かに自分の気持ちを聞いてほしいから、という理由ではありません。私、そんなにみじめではない、と思っています。だけど、うまくは言えませんが、とにかく返事を出さなければという心のたかぶりが芽生えたのは事実です。返事を書くということが、何か大切なような気がしてしかたなくなってきた。その行為の中に小さな希望の光でも見つけ出そうとしているかのように。

三原先生の意図に乗ってしまうのは悔しいことだけど、今はなぜか同じ境遇を生きてきたというあなたとの文通にほのかな期待を抱いているのも確かです。あなたの二通目の手紙に書かれていた、文通のルールにも私は賛成します。絶対に会わないという約束は、すばらしいアイデアだと思います。この手紙のやり取りの中でだけあなたが存在するというのは、この汚い世界の外で会えるという意味を含んでもいて、人間界で居場所もなく生きてきた私にはとても楽な気分になれるアイデアでした。

安易に会えないからこそ本当のことを言い合えるのだと思います。だから真実だけを伝えあう関係というのもまたすばらしいアイデアだと思いました。最初はおかしくて笑っていたのですけど、でももし本当にそういう関係になれるなら、それは今まで生きてきた人生の中では最高の収穫になるように思います。人を信じることができない私が、誰かに真実だけを語るというのは、きっとあなたと会わないという約束が果たされてこそ実現することだと思います。それに賭《か》けてみたい、と今少しだけ、そんなふうに思っているところです。

あなたの手紙の中に記された言葉たちを目で追うことで、私はあなたという人の心に直接触れることができる。一字一句ていねいにつむがれた文章の中に私はあなたの人格の尊い輪郭を見ることができます。

それが実際にどこかで面と向かって会ってしまったなら、もうその瞬間、何か現実的なものに引きずり下ろされてしまい、この崇高な関係がこわれてしまうのではないかと感じて怖くなります。だから一生会わないでいいのなら、私は喜んであなたと文通を続けてみたいと思うのです。でもこれは守られなければなりません。もしもどちらかがこの約束を破ったら、その時はもうお終《しま》いです。そのくらいの覚悟ではじめないと。

でも本当のことを伝えるというのはすごく大変なことですね。どこからどう本当のことを伝えればいいのか、いますぐにはわかりません。本当のことって、あるようでない、でしょ。真実だと思っていても、それが真実ではなくて嘘《うそ》だったり偽物《にせもの》だったりすることはよくあることで、何が本当のことかは、まだ人間として未熟だから自分でもよくわかりません。

本当のことを言い合える仲、というのは、でも憧《あこが》れる響きです。私にはかつてそういう関係を結べた友人はいませんでした。信じて話しても、その人たちはすぐに誰かにもらしてしまうのです。そういうのが多々あったので、私は今まで本当のことを誰にも話さないで生きてきてしまいました。ある時、こう考えたのです。本当のこと、というものはあるけれど、本当のことというものは、誰かに喋《しゃべ》ったとたん、本当のことではなくなってしまい、いつかは消えてなくなるものではないのか、と。だから私は無口になりました。それは本当のことを守るためでした。本当のことを誰にも言わなければ私は本当のことが消えるのを防ぐことができるわけです。みんな本当のことをあんなに簡単に人に伝えてしまうから、自分がなくなってるんだと。ところがある時、愕然《がくぜん》とします。ペラペラと意味のないことを喋っている仲間たちを横目で見ていた時のことです。彼らが本気で喋ってはいないということ、つまり本当のことは何一つ口にはしていない、ということに気がついてしまったんです。本気ではないから、それは当然本当のことではありません。嘘を伝えあっているから、彼らはこわれなくてすむし、友人同士だましあっているから、今の関係を保っているのだ、と。みんなさしさわりのない嘘を真実の中にたっぷりと混ぜて、日々をごまかして生きていました。あんな芸当は自分にはできないと思い、私はますます不器用にだんまりを決め込んでしまうのです。すると仲間たちは自分たちが無視されたと思い、心を閉ざしていると勘違いし、そのうち私から離れていきました。中には私を攻撃してくる子もでてきて、一時は本当に孤独が苦しく、辛《つら》い日々を泳いでいました。嘘をつくのが下手なのがいけないんだと最初は考えて、みんなのように目茶苦茶なことを喋ってやろうと試みたのですけど、でも結局、それもできなくて、どんどん一人になっていきました。

私を救ったのは書物でした。図書館に積み上げられた無数の本たち。それは私が自分の意思で手に取らなければ決して扉を開いてはくれない本当の友人でした。彼らは嘘をつくことはなかった。いや逆です。いい小説とは完璧な嘘で作られたもう一つの本物だったのです。だから私は書物との出会いを通して、人生のすばらしさを知ることができるようになっていくのです。孤独と友だちになれたのはその頃でした。

書物を通して一人遊びのこつを覚えていきました。そのうちにだんだん孤独が楽しくなっていくのです。図書館の本が全て完璧なものばかりではないこともだんだんとわかってきました。図書館の本をだいたい全て読み終えた頃には、作家の中にダメな人も多くいるということがわかってきたのです。でもダメな小説もダメなりに面白いと思うことはありました。生意気な言い方ですが、ダメなところを批評しながら読むと、ゲームをやっているような楽しさを覚えることができたのです。

書物のおかげで、勉強嫌いだった私が、いくつかの科目では学年で上位の成績を保てるようになるのです。勉強なんかしなくとも、自然に知識が増えてしまって、そのことがまた面白くて、私は勉強にも精を出すようになりました。

　でも今の高校を卒業した後、私は進学はしません。推薦で入れる大学はいくらでもあったのですが、私立はお金がかかってやめました。国立だって同じです。かからないとみんなは言うけど、それは普通の家庭で育った人だから言えることだと思うのです。夜学とか働きながらでも行く気になればいけると先生方はいうのですが、私はなんか、大学へ行かなければ生きていけないこの世界そのものが嫌なんです。みんなこうだと世の中のことを決めつけているような、女は何歳までに結婚して子供を生まなければならない、というような社会通念が大嫌いなんです。そんなもの、私には一番醜い決まり事にしか映りません。人間の自由を奪う、手かせ足かせのように感じられてならないのです。

　だから進学は希望せず、就職の道を選ぼうと考えました。勉強は好きですが、何も大学だけが学問の場ではないと思ったのです。働きながら、自分なりの人生を学びたいとも思いました。私には大きな野心や、大卒という経歴を持ちたいという気持ちもありません。私はただ幸福になりたいのです。幸福になれるのなら、なんでもするでしょう。不幸に生まれたので、私の今の目標は、幸せになることです。幸せにはなれない、と絶望していたせいで自殺を思い立ったのですが、結局、自分がどうやったら幸福な人生を生きることができるのかがわからなくて、安易に死の道を選ぼうとしたのでした。それはまるで発作のようなものだった。

私、保育士になろうと考えています。その資格は、こっそりと通信教育でもう取得してしまいました。もっとも在学中に資格を取得するのは、生はんかなことではありませんでした。大学受験よりもハードルは高かったと思います。猛勉強の末にやっと手に入れた資格でした。

親に捨てられた自分がなぜ保育士の道を選ぼうとしたのかということについてはまだ心の整理がきちんとできたわけではないので、こうだとハッキリ言い切ることはできないのだけれど、でもその職場には人間の幸福がたくさんあるように思えてならないのです。本当だったら、孤児だったわけだから、そういう幸福を見ないで生きていこうとするんじゃないのか、と考えがちですが、でも私は違う。親の愛を十分にそそがれた園児たちから幸福そのものを分けてもらいたい、と考えたのです。結婚したばかりの幸せな夫婦の間に生まれた天使のような子供たちと接することで、そこに、私が経験したことがない愛の本質をかぎとろうとしたのだと思います。

保育園にいるだけで幸福を分けてもらえそうな気にもなりますし、子供たちと向かい合うことで、何か自分には欠けているものを取り戻せるのではないか、とも思ったのです。子供は無垢《むく》でしょ。彼らにだけは、私は本当の自分を見せることができると も思いました。一生の仕事ですから、本当の自分を見せることができる相手と向かい合える職場が必要だったのです。

この件についてはまだ誰にも打ち明けていません。高校の先生たちは必死で大学への進学を応援してくれています。奨学金を出す大学もあるんだとか。私の高校は公立ですけど進学率の高い学校で、とにかくその評判をこわされたくないので、あれやこれや手を使って私を進学させたいのだと思います。学年で上位の成績を取る子が、保育園で保育士になることを夢みていることを知ったら、彼らはきっと驚くでしょう。でもそれは間違った考え方なんだと思います。かなり大げさな表現ですが、保育士の仕事は、国を動かすほどに重要な仕事だとも思うんです。学校の体裁を整えるために私は自分の人生を台無しにはしたくありません。世の中を見返すために、給料が高く、みんなが憧れるような仕事につくことを目指すという考えもあるでしょうが、そういう無駄で下らない野心によって、自分の人生をこれ以上さびしいものにはしたくなかったのです。

実力があるのに、大学に行かないのは、人生を捨てた人間のすることだと、ある先生に言われました。そうでしょうか。大学ってそんなに必要なものなんでしょうか。

いい大学を卒業したら、優秀な人だと言われるかもしれないけれど、それが人生のなんになるのでしょうか。私はただ人並みの幸福がほしいだけなんです。学歴を取得することで人生にハクをつける、人生のランクを手に入れる、という考え方を私は軽《けい》蔑《べつ》します。

園児たちと向かい合う中で、私は私の人生の意味を探してみたいんだと思います。基次郎さんはこのことについてどう思われますか。あなたの意見をぜひ聞かせてください。私をがっかりさせる意見でもかまいません。嘘いつわりのないあなたの声を待っています。

かしこ

十一月十五日

遠野李理香

長沢基次郎様

拝啓　遠野李理香様

すぐにお返事を出せなくてごめんなさい。函館山に初雪が降って、それがかなりの大雪だったもので、この数日、予定外の仕事に追われていました。雪に包まれた函館の町は夏のきらきらと輝く函館とは違って、物悲しさの中にもはかない美しさを秘めており、なんとも言葉では表せない哀愁に満ちております。

ロープウェイの運転士という職についているものが、こういうのもおかしなものですが、観光化が進んで、函館は私の幼い頃とは随分と趣が変わりました。駅周辺や元町辺りの賑《にぎ》わいが、静かだった町に活気を取り戻させたのはいいことなのでしょうが、同時に、きれいにぬり替えられた教会や、作り替えられた石畳、時代にあった装飾をほどこされよみがえった煉瓦《れんが》の倉庫群などは、観光のためだからしかたがないにしても、どこかの博覧会の会場の、間に合わせで造られたパビリオンでも見ているようなさびしさを覚えてなりません。

私は函館が、財政難と人口の流出への懸念《けねん》からあまり極端な観光化へと傾斜していくのを好みません。観光開発を進めるにしても、もう少し歴史的な情緒を重んじる都市開発をしてほしいと願ってやみません。それは私がこの町を愛しているからなのです。この町が世界に誇れるものは、観光地としての部分ではなく、質素な佇《たたず》まいにこそあるのですから。だから観光開発の行き過ぎた部分を全《すべ》て雪で覆《おお》い隠した冬景色の函館こそ、実は一番美しい函館だと思うのですが。

山頂駅から砂州の上にできた小さな模型のような町を眺めていると、私は胸が切なくなります。この町で生まれ、この町で死ぬのだな、と考えると左右を海で囲まれたこの北国の港町にまるで自分の一生を投影させたかのような悲しみを重ね合わせてしまうのです。

孤児だった私は、中学生の時に新しい両親に施設から引き取られ育てられました。自分の本当の親のことはわかりませんが、新しい父親と母親は優しい人で、その点はあなたよりも少し恵まれているといってもいいでしょう。高校一年の春に父親が病気で他界し、今は母と二人暮らしです。

血がつながってはいないけれど、今は本当の母親以上に母だと感じています。そこまで気持ちが強まるまでには、それなりの歴史がありましたが、その辺のことについてはいずれまたお話しすることにします。私がロープウェイで働けるのも、亡《な》くなった父がロープウェイでやはり運転士をしていたということが関係しているのです。この町は東京に比べると狭い町なので、人生の選択肢もそれほどあるわけではありません。東京に出るか、ここに残るかという大きな選択がありますが、育ての親をたった一人ここに残すのは恩義に反することのように私は考えました。迷うことなく、私は父が勤めていた会社の人の誘いを受けました。その人は父の当時の同僚で、今はロープウェイの人事等を担当しています。母の高校の同級生でもあり、そういう縁故で、私は観光産業の一端を担《にな》うことになるのです。

進学を断念した背景には、親によけいな負担をかけさせたくないという理由と、もう一つ、父の友人でもあった紹介者の厚意を無にしたくなかったということがあげられます。あまりの他力本位に、必死に自分の人生を切り開こうと生きているあなたは驚かれるかもしれませんが、人とのつながりがあって、自分がここまで成長できたということを知るにつけ、この町で生まれ、この町で死ぬ以上、その関係を無視できないと感じたのも事実でした。だから私は進学など端《はな》から考えることもなく、まっすぐに函館山ロープウェイ株式会社に就職したのです。

小都市で生まれたことと、大都市で生きていることとの違いというのもあるかと思います。田舎は、気楽な雰囲気がある一方で、逆に周囲との密接な関係、因習との深いかかわりなどが未来を作っていくところでもあります。孤独感にしても都会と田舎では全く違うもののはずで「田舎の方が孤独にならなくてすむでしょう」と思われるのは早計に過ぎる考えでもあるわけです。なぜなら、それほど接近した人々と縁や仲を保たなければ本当に生きていけない世界でもあり、いつもいつも同じ顔と顔を突き合わせていなければならない不運というのもきっとあると思います。これが大都会だったら、ちょっと隣町に引っ越すだけで気分を変えられるのでしょうが、飲みに行っても食べに出かけても、そこでは誰か顔見知りがいるのですから、ある意味でここには噂《うわさ》など存在しません。おそろしいことに全てが筒抜けになってしまう町なのです。どちらがいいかはわからない。だから私は、自分に与えられた人生なのだから、これをよしとしようと子供の頃、心に決めてしまったようなところがあります。

あなたが保育士になる道を選ぼうとしていること、だからとてもうらやましく感じています。そうやって、学力もあり、奨学金を出してくれる大学もあるのに、自分で自分の進みたい道を選択できるという幸福は私にはあまりありませんでした。北海道は今、内地の人には想像もつかないほどの不景気に見舞われており、その中で仕事にありつけるだけでも御《おん》の字なのです。

自分の人生を自分で決める。これは全くもって正しいことでありながら、世の中はそう簡単には人を自由に歩かせてはくれないものなのです。だから、今のあなたは幸福な方だと言えるのではないかと思います。何より、それだけ強い自分の人生への考えがあるということ自体、もう大変にすばらしいことだと思うのです。

私も、あのまま施設で生きていたなら、卒園後、東京に出るとか、いろんな道があったように思えます。急に両親を得るという一つの幸福が与えられたため、その親への恩義のために、今度は私が親を支えて生きていく番なのですから、冒険はできませんでした。小学生の頃に一度、中学にあがって二度、自殺未遂を起こしました。三度目の自殺未遂の直後、新しい親に拾われたのです。私が自殺未遂の常習者だと知りながら、彼らは私の親になってくれたのです。理由はわかりません。哀れに思ったのか、何か彼らなりの同情を投げかける理由があったのかもしれません（その動機をまだ母に聞いたことがない。聞くのがちょっと怖くて聞いてはいません。もう少し時が経《た》ったら、いつかは聞いてみたいと思いますが）。

つまり私は自殺未遂をくりかえしていたような自分を孤独からすくい上げてくれた両親に恩返しをするために、普通の（つまりあまり野心的ではない）道であるロープウェイの運転士の仕事を選択したわけです。その選択が正しかったかどうかは、まだわかりませんが、少なくとも正しいとか正しくないとかいう前に、生きるということがあるわけで、生きる限り道は自《おの》ずと定められていくように思うのです。だから自分の道はこうだと強く選択することができるあなたを私はうらやましく思う、と言ったのです。それは間違いのない正しい道であることは疑いようもありません。

保育士はすばらしい仕事だと思います。純真無垢な子供たちの中にいる笑顔のあなたを想像します。あなたがどんな顔だちや姿をしているのかは、わからないので、あくまでも想像でしかないのですが、子供たちを追いかけ回している幸せそうな君が頭に浮かんでいます。まだ顔はぼやけていて、はっきりとはわからないのですが、そのうち、僕の想像するあなた像というものが頭の中にきちんと生まれることでしょう。

三原先生から送られてきた手紙の中にはあなたの写真は入っていませんでした。だからあなたがどんな容姿をしているのかは知りません。でもそれでいいのだと思います。私は心の中にあなたとはこういう人だと想像していくことができるからです。あなたの筆跡や考え方から、一人の人間を頭の中にこしらえるのはまた文通の楽しみでもあります。どうかあなたも山頂駅でお客さんを誘導する私の働く姿を想像してみてください。ただし、あまりハンサムな青年にはイメージしないでね。僕は普通の、ごく普通の人間、田舎に生きる純朴な一人の男にすぎません。

もうすぐクリスマスですが、東京ではみなさんどうやって過ごすのですか。こちらは港にカナダから送られてくる巨大なクリスマスツリー（高さ三十メートルくらいもあるでしょうか）を飾って、その点火式がここ数年、この小さな港町の冬の大イベントになっています。去年は雨の中での点火式でしたが、千人以上の人が集まり盛大な催しになりました。函館港の一番にぎわう埠頭《ふとう》の一角に、ツリーが立てられ、花火が打ち上げられたり、バンドの演奏があったり、どこかニューヨークの、あの有名なクリスマスツリーの点火式をまねしたような盛り上がりになるのです。

私は母を連れて、ツリーの点火式を見に行くつもりです。母は少し持病があって、入退院をくりかえしています。だから私がつき添わないとどこへも外出できないのです。母の手をしっかりと握りしめていっしょにツリーの荘厳《そうごん》な光の瞬《また》きを見上げてきたいと思います。

観光化にはあまり賛成はできませんでしたが、こういうイベントは人々の心に温かい感動を与えてくれるので私はいやみ抜きに称賛します。

きっとその時期、テレビのニュースで全国にその輝きが届けられるのではないかと思うので、もしもどこかで見るチャンスがあったなら、そのたもとに今年も私と母がいることを想像してみてください。私はクリスチャンでもなんでもありませんが、その瞬間だけは信徒になりすまして、キリストさまに君の幸せをお祈りしたいと思います。

李理香さんが迷わず自分の信念を貫いて、等身大の幸福を手に入れることができますように！　周囲のことは気にせず、後悔のない道を選んでください。一生は一度きりしかないので。応援しています。北の石畳の多い町から。

十一月一日
長沢基次郎

遠野李理香様

追伸　三原先生のことは了解しました。私は三原さんと会ったことがないので、その人の良さそうな文面から人物像を勝手に作ってしまっていました。でも会ったことはないので、これ以上あまり想像力を働かせすぎないようにします。もっともあれ以来、連絡はありません。だからこちらからも連絡をいれてはおりません。

# 2 白鳥になりたいペンギン

前略

正直、こんなに文通が続くとは思わなかった。基次郎からもらった手紙はもう十数通を数えているんだよ。リリカはあなたの心強い声の導きに支えられて無事高校を卒業し、保育士として北沢保育園で働きはじめることもできた、本当にありがとう。

自殺未遂から七ヵ月が経《た》ちました。手首の傷はまだ消えずに残っているけど、深くはなかったので次第に色あせてこのまま消えてしまうのではないか、と思います。この傷がもとのように戻る頃、私の心の傷もまたもとに戻ればいいんだけど。

保育士の仕事は朝が早い。いつも六時には起きるんだよ。それから七時には園に行き、まず園内の掃除をする。今のところ園庭の掃除を担当してるの。掃除が終わる頃、次第に園児たちが親に連れられてやって来る。お母さんに連れてきてもらえる子たちばかりではない。お父さんが仕事に行く途中に連れてくるところも多く、中にはおばあちゃんに連れられて来る子や、お手伝いさんに連れてこられる子なんかもいて、家庭によって事情がさまざまなのがわかって、いろいろ考えた。

リリカの受け持つパンダ組は四歳児、やっとどうにか自分の意思を言葉で表せる年齢です。可愛《かわい》い盛りの子供たちで、彼らにはまだ純粋なものしかない。だから私は彼らに対してだけは本当の気持ちをぶつけることができる。今は彼らの無邪気かつ天真《てんしん》爛漫《らんまん》な愛の表現に見とれて日々楽しく働き、生きてるという感じ。

一クラス、大体二人の先生が見ることになっていて、一緒にパンダ組を見ているのは二歳年長の進藤未明先生。美人だけど少し陰のある不思議な人です。陰といっても暗いというのではない。育ちのいい、品のある人で、父親は製薬会社の偉い人らしい。一度、家族で駅前を歩いている時にすれ違ったんだけど、両親からはとても仲むつまじい印象を受けたのに、未明だけがその中で何か不服そうな顔をしていた。私が挨拶《あいさつ》をするとご両親は満面に笑みを浮かべて喜んでくれたんだけど、彼女は照れているのか、園で見せる顔とは違って親に甘えているような、あるいは親を見られるのが恥ずかしいとでもいうのかな、私には理解できない気持ちだけれど、その場を早く立ち去りたいとでも言いたげな顔をしてた。次の日、本人から聞いたんだけど、父親は仕事ばかりでいつも帰りが遅く、あの日はひさしぶりに家族そろっての外食となったのだそうで、なのに、お父さんが仕事のことばかりを話すものだから未明はイライラしていたんだって。家族というものがどんなものか私にはわからないから、タダタダソウナンダソウイウモンナンダ、と思うしかなかった。

でも未明には、いろいろなことを教えてもらって、本当に世話になってます。彼女も園では、親の前で見せるような甘えた顔はしないし、子供が好きなのは私と一緒で、私にとってはいい先輩であり、またお手本でもある。

園での人間関係は今のところ良好だけど、中にはちょっと意地悪そうな先生もいるよ。でもどこにだってそういう人はいるので気にしていません。一番やっかいだなと思う先生は園長の子分のような立場にある古株の猪原倫子先生、三十代の後半くらいの人かな。

入ってすぐに、

「あなた、自分が孤児で親に愛情をかたむけてもらったことがないから、子供との接し方を理解できないでしょう、だったら取りあえず子供の前では笑顔を絶やさないように努めなさいね」

と忠告を受けた。

まさかこんなに残酷なことを直接言われるとは思ってもみなかったから驚いた。同時にここも決して楽園にはなりえないなって考えて少し落胆してしまった。

保育園とはいえ、運営しているのは大人たちでしょ。そこには普通の大人の社会があって、いやむしろ女ばかりの職場なのでその重圧は予想以上に大きいものので、保育園という小さな世界だからこそ、そこでは大人たちがギスギスと仕事をしなければならないようで、子供たちと向かい合うことだけを楽しみに入った私には、大きな誤算だった。できるだけ大人の人たちとは顔を合わせないようにしようとは思うんだけど、それは無理でしょう。いや、かえって普通の会社よりも、女だけのこの職場は、もっと私が嫌いな部分を多く含んでいるのかもしれないね。

そこに最年少で入った私は猪原先生をはじめ、園長（この人もちょっとつかみづらい人なんだ）などとこれから育児や親の問題などを通して話し合っていかなければならないのだから、最初の思惑とは違う世界に戸惑っているよ。社会の厳しさと生きることの難しさを痛感している。でも今はまだ強い息苦しさを感じているわけではないの。

給食係のおばさんたちは親切で、娘のようにとても可愛がってくれるので、楽しいと思う時も時々ある。苦しいものを見つめず、楽しい方を少し見て頑張ろうっと。

とにかく今はただ、子供たちと必死で向かい合う毎日の中にいます。

じゃあ、さっきの続き、園での一日の後半戦を紹介しますね。園児たちは午前九時頃には全員が集まる。みんながそろうまではおもちゃなどで自由に遊ばせて、それから散歩などに出かける。近くの公園まで手をつないで行くの。なかなか子供たちはいうことを聞いてくれないので、やたら神経を使うよ。とくに車の多い茶沢通りなどを歩くときは、不意に飛び出さないかと、瞬《また》きさえできない緊張の連続。でも子供たちの笑顔は私を優しい気持ちにさせてくれる。近くに神社があって、そこの横にちょっと広めの児童公園があるので、もっぱらそこら辺で遊ぶの。砂場で彼らだけの世界にひたって遊んでいる時の姿がやはり一番好き。木漏れ日の中、彼らの笑い声がはじけるのを聞いていると、なぜだかほっとする。彼らには、まだ大人の持っている醜い損得の感情というものがないので、もっとも完全にないというわけじゃないんだけど、でもね、素直でみんな天使のよう。悪意というものがどこにもない。友だちのおもちゃを奪ったり、そういうことが原因でよく彼らはけんかをするけど、大人のような陰湿なものは一つもないし、彼らはすぐに仲直りをする。常に人生を再生させているというのか、心の新陳代謝が速いというのか、彼らの美しい日々を見つめる仕事につけてよかった、と毎日砂場で遊ぶ姿を見つめては思っている。

人間はいつ頃から、大人になってしまうのかな。そしてみんなどうしてあんなに意地悪で悪意のかたまりになっていくのか、それがわからない。

無邪気に走り回る子供たちの天真爛漫な姿の中に、私が救いを見ているのも事実で、でもいつまでそうしていられるのかと考えては、未来が少し不安になったりもする。

砂場で遊んだ後はまた全員で手をつないで園に戻る。歌を歌ったり、しりとりをしながら帰る。時々、近所のおばさんが庭の中で飼っているにわとりを見せてくれたり、というハプニングもある。珍しいことに世田谷のど真ん中にもね、小さな畑があって、時折そこの人が育てている野菜なんかを触らせてくれたりもする。

戻って昼食。昼食の後はまた歌ったり遊んだりして、その後、お昼寝。お昼寝の後はおやつがあって、おやつの後になるとぽつぽつと迎えに来る親御さんがいて、それは大体夜の七時くらいまでダンゾク的に続くかな。園児のお父さんに、頑張っているねってこの間、励ましの声をかけてもらったよ。背広の似合う素敵な人で、なんか笑顔とかから判断するに、とても子煩悩《こぼんのう》そうな優しい感じの人だった。リリカ、こっそりと憧《あこが》れてるんだ。その人が園児（カズ君というんだけど）を肩車して帰る姿なんか、リリカの描くたくましい父親像そのものといった感じで見とれてしまった。そういう時かな、ふっと自分にもいたかもしれない父親がどんな人だったのかって想像するのは。園児を送り迎えするお父さんたちを見ては、貧しい想像力を働かせています。

一応四時くらいにみんな帰るんだけど、最後まで残っている子の心のケアというのがまたとても大切な仕事で、一日はそんな風に忙しく、とんとんとんと過ぎていく。

子供の面倒を見る仕事は想像以上に神経を使うので働きはじめた最初の三日間はくたくただったけど、まあ、いまようやっと少し慣れてきた、というところでしょうか。こうしてふたたび手紙を書く余裕もでてきたしね。ごめんね、ここのところ基次郎にばかり手紙を書かせてしまって、頑張るから待っていてね。

子供たちは四歳とはいえ、彼らを抱っこするのにはかなりの力が必要で、筋肉痛もかなりのもの。このままでは腕が太くなってしまうのではないか、と心配。まあ、健康的でいいか。近頃ちょっとマッチョなリリカでした。

というわけで、新しい人生を歩みはじめて、忙しい日々の中にいます。精神的には安定しているけど、これからどういう人生が待ち受けているのか全くわからない。手紙をもらう分には嬉《うれ》しいんだけど、前のように定期的に書けるのか、ちょっと不安。もう少し仕事に慣れればまたペースを取り戻せるかな、と思ってる。長い人生なのでゆっくりと自分自身と向かい合っていきたいと思います。

忙しくて返事を書く時間がない、と言いながら、でも基次郎からの手紙をいつも首を長くして待っているの。ポストに手紙を発見した時は嬉しくてしかたがない。恋人からの手紙のように胸にしっかり抱きしめて、会ったこともないあなたのことをぽっと顔を赤らめて考えていたりする。急いで部屋に入って、大切に封を切り、時には便《びん》箋《せん》の匂《にお》いをかいだりして、大事に読む。一行、一行を大切に読む。基次郎はリリカの心の支えです。どこか父のようで、どこか兄のようで、どこか恋人のような基次郎。恋人？　そうだった、約束を忘れてた。恋人関係にはならない、というもの。正解。だからね、そういう意味じゃないんだよ。心の恋人とでもいうのかな、心の中にあなたがいつもいるような気がするのはなぜだろう。

今回は少し短めの内容になってしまったけど、李理香はなんとか元気です。また次回の手紙でたっぷりと報告をするね。それでは、基次郎もお仕事頑張ってください。春なので、観光客が増えてそちらも少し忙しくなってきたでしょ？　どうかお体を大切に、ご自愛ください。

四月十五日
李埋香

長沢基次郎様

追伸　星の光児童養護施設から出て、ひとり暮らしをはじめたでしょ。ずっと憧れて待ち望んでいたことでもあるのだけれど、これが実際に一人で暮らしはじめると、かなり大変。食べ物は保育園でみんなと一緒になんとか食べてはいるけど。夜とかね、友だちがいないせいもあるんだけど、いつもだいたいコンビニ弁当ですませたりしてます。自炊をする体力的な余裕がなくて、たまにはどこかでおいしい夕食を食べたいよオ。

それに、今時風呂《ふろ》もついていないアパートに住んでいるの。だから銭湯に通っている。孤独には慣れていると思っていたけれど、意外に慣れてなかった。

朝目が覚めると、なんか無性にさびしくて、どうしてだかわからないけど、頰がいつも涙でぬれてる。きっと夢の中で泣いているんだろうな。夢の内容は忘れているけど、朝はいつもぽっかり穴があいているようです。

前略

初春の函館《はこだて》は道の脇《わき》に積み上げられていた雪のかたまりがとけだし、町はどこもかしこも黒く汚く、僕は個人的にはあまり好きな季節ではなく、春先の北海道は旅行とかにはあまりおすすめできない季節だね。でも四月も半ばを過ぎる頃から、その汚い雪もすべてとけてしまって、海からの潮を含んだ柔らかい風が僕の頬をさらっていき、夏へと向けて函館は再生の時期を迎える。

この時期、山頂駅から眺める函館の町はとても美しく、光に満ちてさんさんと輝いているんだ。面白いのは路上にとめてある車のミラーなのか、フロントガラスなのか、に反射する光の瞬《また》きが、まるで路上にちりばめられたガラスのかたまりそのものが光を放射しているかのように見えて、キラキラとそこら中で光を反射して美しい。函館そのものが一つの生き物のようで、自ら輝いているようなんだ。

冷たい海からの風、青い空に浮かぶ雲、遥《はる》か彼方《かなた》の山の峰。津軽海峡の白波。どこを切ってもなんとも美しい函館が広がってる。美しいものを見すぎるとその美しさに気がつかなくなる、と人は言うけど、この町にはそれがない。きっと四季を通していろいろな顔を持っているからだろうと思うね。冬が終わった後のこの時期は未来に向けて光をため込んでいく季節にも見えて、僕は好きだ。

仕事、大変そうだね。保育園か、僕はもちろんまだ子供もいないから、そこがどういう世界なのか全く知らなかった。家の近くにも小さな保育所があるんだけど、いつも前を通るとね、保母さんが子供たちと小さな庭で遊んでいて、そこら中で笑い声がはじけててさ、ほのぼのとした空気に包まれ、いつしかこっちも穏やかな気持ちになれるんだ。保育園に関してはそれくらいしか知識がなかったので、とても興味深く読めました。

一方で、君のことが少し心配にもなったよ。確かに女性だけの社会というのは、それなりに大変だとは思うけれど、きっと世の中なんてどこへ行っても大変さには変わりがないというか、思いどおりにはならない世界だと思う。だから、もう結論になってしまうけどね(笑)、ゆっくりと自分のペースで仕事をこなして頑張るしかないよね。あまり周りを気にせず、マイペースでやるしかない。

ひとり暮らしを始めたんだね、うらやましいな。僕はずっと母と二人暮らし。これは彼女が生きているかぎり続くことになると思う。それが僕の宿命みたいなところがあって、お嫁さんになってくれる人もそのことを理解してくれる人じゃないとダメなんだ。そのことは母の方が気にしていて、私なんかのことは気にしないで、お前は早く結婚してさっさと外に出ていきなさい、と言うんだけど、そうもいかない。なんと言ってもさ、孤児だった僕を拾い上げて人並みに育ててくれたんだからね。恩というのがある。

逆にね、血がつながっていたら言えるようなわがままがどうしても言えないんだ。進藤未明さんだっけ？　その人が親に甘えている図が頭に浮かぶよ。でも僕はさ、そういう風にはできない。僕を施設からひきとってくれたのが遅かったというのもある。もちろん、本当の母親以上に愛情を感じてはいるけど、でも決定的なのは血がつながっていないということだ。だから甘えられないし、恩も返さなければって感じてしまう。血のつながった親だったらさ、逆に家を出るのは簡単だと思うんだ。多少、親に迷惑をかけることも子の義務みたいなところがあるからね。お嫁さんのことを優先してあげてさ、まずはいったん二人で暮らしてみたい、と申し出るんじゃないかな。親もそうじろってことになるだろうし、なんかそれが普通の親子の関係なんだろう、と想像している。でも血族じゃないとなると、なんていうのかな、うまく言えないけど、本当のところで、最後のところと言ってもいいけど、甘えられないんだ。どこかでブレーキがかかってしまう。まだ二、三歳の頃に拾われていれば、無意識の頃から親と子という関係が成立しているだろうから普通の親子のように甘えられたかもしれないけれど、ある程度大人になってから親子関係を結んだでしょ、僕が中学の時に養子になったわけだから。だからさ、いくら口で、お父さんお母さんとは言っても、心のどこか奥の奥の方ではね、この人と自分とは血がつながっていないんだって考えているんだよ。逆に、恩を返さなければって必死で考えてしまって、心から甘えられないんだ。

そういう考えが、そぶりに出るわけで、母もね、この子が本当に甘えていない、というのはわかるわけでしょ。僕がそう気がついているわけだから、絶対母も気がついているとは思うんだけど、それだけになんか申し訳なくて。本気で甘えることが恩返しなら、僕は早くに乳離れをしてさ、家を出て、誰かと結婚をして子供を作って、母に家に遊びに来てもらうことじゃないかなって思う。それで本当の子というのは母親が弱ってきたら、そこではじめて自分が引き取ることになって、一緒に住んだりするんじゃないかな。でも僕は今の親に一生かかっても返せないほどの恩義がある。自分が生きることで親を支えなければという気持ちもある。だから、親と別れて暮らすなんてことは絶対にできないんだ。する気もない。母を悲しませることが怖い。この人のおかげだって、いつも神様を見るような思いで僕は母を見ているようなところがあるんだからね。

君には申し訳ないとは思うのだけれど、ひとり暮らしができる君の自由さに、うらやましいという感情が起こってしまう。親がいる人がなんてぜいたくなことを言うのって、君に叱《しか》られそうだな。確かにぜいたくな悩みだろう。よくわかっているつもりなんだけどね。

とにかく僕にとっては、この母親との問題はけっこう大きな課題なんだ。いつも壁にぶちあたる原因はそこにある。恋をしても、その恋がどうしてもうまくいかない理由の一つに母という存在があるんだな。母の問題がなければ、恋人と同棲《どうせい》とかもできるんだろうけど、とてもそういうことはできない。異性との恋にしても、まるで高校生のような恋から先に発展しないんだ。母のせいにするのはどうかと思うけれど、恋人を選ぶにも、この人は母のことを大切にしてくれるんだろうかってつい考えてしまって、それが態度に出るせいか、うまくいかない。

目下の僕の悩みと言えば、そういうことかな。というのも、ちょっといま恋をしていて、いや、まだ恋だとは断言できないな。恋をしそうというのが正確な表現かな。相手は僕と同い歳《どし》くらいの人、母が通っている病院（母はね、ちょっと体が弱くて、週に二度ほどお医者さんに通っているのです）で出会った女性なんだけど、その人のことが好きになりそうなのに、やっぱりつい母のことを考えてしまって、友だち以上にはなかなか進展させることができないんだ。情けない話だけれど。

二年ほど前にも恋人ができそうだったんだけどね、僕があまりに母のことを気にするのでふられてしまった。また同じようなことをくりかえすのかなって、そう思うと、つい心にブレーキがかかってしまうんだ。

確かに、いつも母は僕を誰かにとられたくない、と思っている。父さんが死んでから、僕だけが心の支えだったところがある。血がつながっていないので、僕が母を離れる時は巣立ちの時だって考えているようで、そうなるともうずっと会えなくなるのではないかって思っているようで、いや、もっと厳しい表現にするなら、自分が捨てられるんじゃないかって思っているようなふしもある。だから、僕に異性の友だちができるとすごくちょっかいを出してきて、それで前のガールフレンドとはダメになってしまったんだ。

僕も、おかしな言い方だけど、母が可愛《かわい》いと思う時があって、マザコンと言われればそうなんだろうけど、つい母を優先させてしまうんだ。女性にとっては、そんな男はいやじゃない。僕が相手の立場だったら、こういう母を背負っている男っていやだろうな、とは思う。

ひとり暮らしか、いまだ経験したことのないことだな。たぶん、母が生きている限りはないように思う。誰にも気をつかわずに、好きなことができる世界があるというのはうらやましいことだな。自分だけの世界か、そう思うと、さびしさなんか大した問題じゃないんじゃないか。孤独は一番の友だちだと思う時がある。孤独と仲良くできた時に僕らは幸福を覚えるような気もする。今、君はそれができるところにいる。そこは君だけの空間なんだもの。誰もそこには踏みいることはできない。鍵《かぎ》を持っているわけだろ、君だけが。鍵をかけて出かけて、鍵を開けて戻る。宝箱のような空間だね。うらやましいな。もちろん、僕にも自分の部屋はあるけど、いつも母が掃除をしに入ってくるし、鍵はついていない。だから、僕は完全に自分だけの世界というものを持ったことがない。社会に出て、給料を貰《もら》っているというのに、これはずっと続くんだ。結婚したら、ここに僕のお嫁さんがやって来て、さらにここけ狭くなる。一人になって、ぽつんと部屋の中で考え事をしてみたいな。誰にも空想を中断されることなく、一人でいろいろなことを想像してみたい。本当、君がうらやましいよ。

僕がこんなにうらやましいって感じているんだから、多少のさびしさは我慢しなさい。君は何せ、一人で自由なんだからね。誰からも束縛されないものを持っている。たとえば、その保育園だってさ、辞めたくなれば辞めることができるわけじゃない。でも僕は多くのしがらみがあって、函館山ロープウェイ会社を辞めることもできなければ、母から離れてひとり暮らしをすることもできない。

君は何にも支配されていないんだ。そう考えると、すごいことだな。それができるということを今はもっと喜ぶべきじゃないかな。だって、やっと一人で生きることができるようになったんだもの。そのうち誰かに恋をして、結婚でもしてごらん、一人になりたいって思うことがきっと出てくるはずだよ。だから今はもっと気楽に一人を楽しんだらいいと思う。

それに君は東京という大きな町に住んでいる。そこはなんでもあるじゃないか。函館は確かに美しいし、人間もみんな優しくて過ごしやすいけれど、刺激は東京に比べたら少ない。可能性という点からみても、君は恵まれている。もちろん、どっちが不幸か、という比較をしているわけではないけれど、君は君なりにいい点をいっぱい持っているんだ。だから毎朝涙で目をはらして目覚める必要はないんだよ。それに、悲しいことやさびしいことがあったら、僕になんだって相談してかまわない。いや相談してほしい。へんな話だけれど、君に相談されるのは嬉《うれ》しい。それがどういう感情かはうまくは説明できないけれど。

僕はいつだって、君の声に耳を傾けているよ。眠れない夜があったら、便箋に向かってその気持ちをしたためてください。僕も君からの手紙をいつも首を長くして待っているから。じゃあね。また手紙を書きます。

四月二十日
基次郎

遠野李理香様

ＰＳ　嫌な人間というのはどこに行っても必ずいます。嫌な人間のいない世界というものはこの地上には存在しないと思う。では、なぜ嫌な人間がこんなに溢《あふ》れているのか？

それはきっと神様が君や僕に試練を与えてくださって、そういう連中を使って人生の勉強をさせてくれているのだと思う。僕はいつも、嫌な人間に出会った時にはそう思うようにしている。人のふり見て我がふり直せ、と言うけど、そういう人たちは人生の教材だと思って、自分のペースを保って生きるのが得策だと思う。

# 3 片足でふんばるフラミンゴ

こんにちは。

なんだか、前略という単語ではじめるのが少し違うなって感じはじめて、こんな書き出しにしてみたけど、どうでしょう。基次郎という名前が自然に私の心の中に浮かんでくるようになった今、前略ではないような気がした。

それに文体もちょっとかたい気がしてきた。というのも最初の頃の手紙は書くのにまる三日はかかっていたんです。手紙なんて書いたこともなかったから、とにかくぼろがでないように必死だった。でも今は手抜きというのか、ちょっとリラックスして書けるようになった。それは、つまり親密になれた、ということだよね。だからいっそう親密になるためにもまず書き出しを変える必要がある、と思ったの。で、こんにちは、にしました。これから私、手紙の書き出しをこんにちはにします（まねしないでね。モトはモトの書き出しを考えて。モトという呼び方もなんだか親密でしょ）。

こんにちは、基次郎。元気にしてますか。あなたから手紙をもらっていながら、またすぐに返事を戻せなくてごめん。半月以上も返事を書けなかった理由はいくつかあって、一つはちょっと嫉妬《しっと》してしまった、せいもある。基次郎に恋人ができたというのは本当？　この前の手紙に、お母様が通う病院で知り合った女性に恋をしているというような内容が書かれていたけど、あれは進展してしまったのかな。迷っているようだったけど、きっと進展してるよね。進展しないわけがない。あれだけ具体的な存在を示してきたわけだから、それなりの根拠があるんだよね、きっと。そうか恋してるのか。

なんかその先を聞くのがちょっと怖くて、ずっと手紙を出せなかった。笑わないでね。あなたに恋をしているというわけではないんだけれど、なんだか父親を取られるようなさびしい感情に支配されてしまって、リリカの胸の内に嫉妬の嵐《あらし》が吹き荒れていました。

でもよく考えてみたら、あなたみたいに優しい人に恋人ができないわけはなく、それにあなたを私なんかが独り占めできるわけもなく、文通をしてもらえているのだからそれ以上の甘えはまずいし、なんか自分勝手なリリカだったなって、落ち込んでいたんだ。でも時間がたって、そのことはなんとか自分の中で消化できたんだけど、その矢先、今度は信じられないことに私が恋に落ちてしまったの。それで、すぐに返事ができず、事態のなりゆきを少し見守っていたせいもあって、また筆が止まってしまいました。ごめんなさい。

でも、それを恋と言っていいものかどうかは、わからない。ただ、基次郎との最初の約束に従って、私は真実だけをあなたに伝えたいと思う。この文通は誰にも打ち明けられない本当のことを全《すべ》て書くという約束だったよね、覚えてる？

本当のことを書くにはそれなりの勇気がいるし、それなりのことに直面しないと書けないわけじゃない。リリカは直面してしまったの。

どこまでを伝えていいものかはずいぶんと悩んだ。でも、基次郎しか相談できる人はいない。だから、私、勇気を出して本当のことを書くね。

恋というものではないかもしれない、と私が思っているのにはちょっとした理由がある。その人と会っていても、ときめきがないんだ。ときめきというものの経験がないから、みんながいうところのときめくという行為がどんなものかわからないんだけれど、でもその人のことを思っても胸が切なくなることはないので、やっぱりときめいてはいないんだと思う。

ただその人に優しくされたいという願望だけがとにかく強いの。へんな言い方だけど、私はその人に基次郎に対して抱いている父親的な包容力のようなものを一方的に求めているようなところがある。それに恋がどういうものかまだわからないので、つまり私はまだ人を愛したことがないでしょ、いや、人を信じたことがないと言った方がいいかな、愛し方も愛され方もわからないまま生きてきてしまった。

その人はかなり積極的なところのある人で、私が個人的に憧《あこが》れていたせいもあるんだけど、誘いにあんなに簡単に乗ってしまった自分が今では少し信じられないほど。それほど自分がさびしかったということなのかな、と驚いている。

だってね、その人は私が担任している園児の父親で、前の手紙にも少し書いたけど、いつも朝カズ君を園に連れてくる彼のお父さんで、つまりこれは世に言う不倫ということになるの。驚いた？　軽蔑《けいべつ》したでしょ。もう基次郎から返事がこなくなるかもしれない、と覚悟を決めて書いているんだよ。本当のことを伝えるって勇気がいる。嘘《うそ》をついていれば、表面はきれいだけれど、この文通は真実だけを伝えあうためにはじめたわけだから、本当のことを全て書くからね。

私、実際こうして手紙をしたためながら、自分の手が震えていて、うまく字を書けないでいる。男の人に体をゆだねたのも、はじめてだったから、十九歳になろうとしているのに、ずいぶん遅いと思われる処女喪失だった。やっぱり人間不信が大きくて、男の子と恋に落ちることができなかったせいもあって、未経験だった。ラブホテルというところに入ったのも、はじめてだった。渋谷の派手な界隈《かいわい》に建つすましたホテルで、なんだかスポーツジムのような明るいロビーを持っていて、そこで若い男女が堂々と部屋が空くのをまるで遊園地の乗り物の順番を待つような陽気さでもって待っていて、そこは想像していた世界よりも健康的で、ちょっと拍子抜けしてしまった。一方でね、ここで処女を失うのか、と考えたら、気持ちも楽になった。どうせ、いつかはどこかで捨ててしまうんだから、この人がいいって、決めて入った。好きなんだとは思うけど、せいぜい憧れ程度の気持ちだったはず。でも、愛してはいない。愛はない。絶対に愛はない。愛が何かわからないから、決めつけられないけれど、リリカがその人に求めたものは愛とか恋とか、そういうものではなかった。自分の心のより所がまったくわからないまま、私はしがみつくようにその人に抱きついていた。

そして、なんだかよくわからないうちに終わってしまって、快感なんかなかった。痛みと苦痛と少しの退屈だけを感じた。私、流れの速い川で溺《おぼ》れているようだった。全力で向こう岸にたどり着きたいと思っているんだけど、泳いでも泳いでも、たどり着かないんだ。腕や足に異常なほどに力がこもって、金しばりにあっているみたいだった。たぶん、父親への復讐《ふくしゅう》のような気持ち半分と、父親の匂《にお》いをかぎたいという気持ちが半分ずつ入りまじっていたと思う。そういう分裂した感情が私をかたくさせていたんだと思うな。

その人はその人で、私がはじめてだということを知ると、すごく驚いていた。狼狽《ろうばい》してたって感じだった。私を見下ろし、シャワーを浴びておいで、とやっと言葉が出て、私は言われるままバスルームへと走った。シャワーのお湯を浴びながら、泣いていた。悲しくてじゃなくて、うまく言えないけど、勝手に涙が出てきた。自分の体が憎かった。生きてることが、存在していること自体が、憎かった。

カズ君のお父さんとそういう関係になるまでの経緯というのを少し精密に話さなければならないね。それはつい一週間ほど前のこと。ばったり駅前でカズ君のお父さん（木場源太さんというんだ）と会ったことがはじまりだった。彼は仕事帰りで、向こうが先に私に気がついて声をかけてきたの。細かいやり取りは忘れちゃったけれど、すぐにご飯を食べようということになって、もうその瞬間には自分がいつか近い将来、その人と肉体がむすばれるって直感していたの。おかしいでしょ。おかしいよね。いいんですか、家でみんなで食事をしなくても、と言いながらも、自分の方がまるで木場さんを誘ってるようだった。きっとその時の自分の目は青白い怪しげな光線を出していたんじゃないかな。誘ってきたのは向こうだったけれど、でもあれは明らかに私が呼び寄せたものだった。

二人は周囲の視線から逃げるように一番近い地下の居酒屋にもぐり込んで、そこで見つめ合った。木場さんは冗談をたくさん言って、ちょっとかたくなっている私を明るい気持ちにさせようと必死だった。お互い、カズ君のことが頭の中をよぎるんだろうね、笑いも少しぎこちなくて、すぐに口もとがかたまってしまって。だけど、どちらからともなく、硬直してしまう頬の緊張を必死で打ち払いながら、語りつづけた。

私は自分が孤児だったことを打ち明けた。どうしてあんなに安易に自分の生い立ちを語れたのかはわからない。その時、カズ君に対してすまないと思う気持ちと同じような気持ちをなぜか基次郎に対しても持った。自分のことをどこまでこの人に話せるか試すように私は自分について語ったの。木場さんは、なんていうのかな、スポーツマンっぽい精悍《せいかん》な顔だちをしていながら同時にとても優しい目をしている人で、誠実そうに見えた。笑顔はリリカが小さい頃からずっと心に描いていた父親とはこういう笑顔ができる人だという顔だちをしていて、声も太くてね、頼れる感じが良かった。

そういう外見的な安心感を求めてしまったんだと思う。木場さんを好きになったのではなくて、カズ君の父親をリリカも欲しくなったんじゃないかな。父親が欲しくて、リリカは自分の肉体をその人に捧《ささ》げたんだと思う。その人をもっと自分に引き寄せたくて。

　昨日の夜、私たちは渋谷の駅前で待ち合わせをした。渋谷で会いたいと私の携帯に彼から電話が入った時、私は覚悟を決めていた。求められても、それに応じようと考えていた。なぜかはわからない。説明できない。自分でも理解できないの。

　食事をして、お酒を飲んで、気がついたら、木場さんに導かれてホテル街の入口に立っていた。ネオンだらけの通りを見上げた時、そこにもう一つの入口がある、と思った。そこを潜《くぐ》ると、私はもう戻れない、別の世界に行ってしまうんだ、と感じた。恐怖と欲望とが入りまじる世界がそこにあるって思ったよ。

　苦痛のような行為が終わり、シャワーで全てを洗い流した後、もう一つの世界への入口、つまり私の快楽は待っていた。私は、木場さんの胸に頰ずりして、その汗の匂いをかいだんだ。胸の筋肉に顔を何度もすりつけて、幸福とはこういうものなんだなって自分に言い聞かせていた。

　木場さんの太い腕に抱きしめられて、時間まで眠った。まるで赤ん坊になったような気がした。木場さんは、私が処女だったせいか、ずっと、すまなかった、と言いつづけてた。なんでこの人はあやまっているんだろう、と考えながらも、その声がまるで子守歌のようで、私は安心することができた。ぎゅっと抱きしめられている間、私はそれまでの人生の苦悩が全て帳消しにされていくような気持ちを味わうことができたの。ああ、これだ、と思ったよ。これが私が求めていた父親という存在の匂いだ、と思った。太い腕、優しい目、汗の匂い、低音の響く声。彼の心臓の音を耳で受け止めながら、リリカはどんどん子供に逆戻りしていった。園児たちのように、無垢《むく》に。時間が来て、ホテルから出なければならなくなるまでの間は、本当に幸福だった。もうここで人生が終わってしまってもかまわないと思った。あんなに幸せな気分を味わったのは生まれてはじめてのことだった。

ホテルから出て、はじめて、私は自分がしたことの罪に気がつくの。自分にないものを、自分には生まれながらに分配されなかった幸福というものを私は他人の家族から奪った。でも、カズ君と木場さんの奥さんに対してこれだけ後ろめたいことをしておきながら、私は幸せの匂いをかげたことを喜んでいた。不幸と幸福って案外、背中あわせのところにあるんだね。恐ろしいとは思いながらも、その泥沼の中へとどんどん引きずりこまれていくのが、一方で心地よかった。

基次郎、私を軽蔑するでしょ。こんな悪魔のような心を持った私のことを軽蔑するでしょ。でもリリカは約束どおり、真実だけを伝えました。これであなたに嫌われることで、私は罪をつぐないたいのかもしれない。馬鹿《ばか》なリリカ。愚かなリリカ。可哀相《かわいそう》なリリカ。

基次郎、私のことを見捨ててもいいよ。見放してもかまわないよ。返事はくれなくても結構です。あなたにこうして真実を伝えることができて少し楽になれた。苦しくて、しかたがなかった。

けさ、保育園に行くのがとても辛《つら》かった。でも休むわけにはいかず、なんとか布団《ふとん》からはい出て、出かけていったら、なんと木場さんではなくてね、奥さんがカズ君を連れてきた。奥さんとカズ君の姿を見た私は、ずるい、と思った。どうして木場さんはいつものように自分で連れてこないんだろうって思った。私がどんな気持ちでカズ君を奥さんから受け取るのか、考えてるんだろうかって、あの人のそういう無神経なところに怒り、そしてやはりこれは恋でも愛でもなくて、実験なんだなって思った。そう、実験。普通になに不自由なく生きてきた人たちと接することがどういうことなのか、という実験だったんだって、考えるようにした。

そしてこの実験はまだ続くんだと思う。木場家の幸福を観察することで、普通に生きている人たちが持つ幸福というものがどういうものかを探ろうとしているんだと思う。幸福か、なんか遠いな。

もしかしたら、これは復讐なのかもしれない。リリカだけが孤独に生きてきた。リリカを捨てた社会に対しての復讐。復讐か。なんて陳腐な響きだろう。

ここまで一気に書いてしまったけど、読み直すのが怖い。これを本気で私は投函《とうかん》するのかな。そしてこれを読むだろう基次郎の苦痛にまみれた顔を想像しては、爆弾を破裂させることに成功したテロリストのような気持ちになるのかな。あなたに復讐劇の顚末《てんまつ》を聞かせることで、一人勝手に悪のヒーローにでもなったような気分を味わおうとしているのかしら。わからない、今は自分の気持ちが全くわからない。

ただ正直に、起こったこと、起こしたことを伝えました。

ごめんなさい。こんな内容になって。

五月六日

李理香

長沢基次郎様

追伸　でも自殺なんかしません。

前略

どう返事を書けばいいのかわからず、君からの手紙を眺めては一日が過ぎていくのを見送っていた。息苦しい言葉たちで埋めつくされた君からの分厚い手紙。どの行も、どの行も、君の血でつづられているような痛々しさに満ちていて、すっかり僕は君をなぐさめる術《すべ》を見失い、ただ便箋《びんせん》に向かって呆然《ぼうぜん》とひたすらうちのめされ続けています。

確かに君は真実を僕に打ち明けてくれた。本当のことを語るというのは勇気のいることだと思う。それに真実というものは痛い。それを受け止める側にも痛みは同じ量突き刺さる。真実というものはだから、もろ刃の剣のようなものだね。

僕は正直に言って、君をなぐさめる、あるいは励ます、いや叱《しか》る、または包み込んであげるための言葉を持っていない。どんなきれいな言葉を連ねたところで、君の心には届かないような気がしてしかたがない。でも、それでも、僕が何か言うことで、君は世界と薄皮一枚ようやくつながっていられるような気になるんじゃないだろうか。

問題は愛とは何か、ということだろうけれど、それは君と同じくらい僕にもわからない。僕はまだ童貞だし、人を好きになったことは君と同じでないからだ。でも、簡単にすぐに誰かを愛せてしまうこの時代に、簡単に人を愛せないというのは決して悪いことではないと思う。愛が氾濫《はんらん》している中で、愛と真摯《しんし》に向きあうのは正しいことだと思う。

君が木場さんに求めたものが愛ではないとしよう。だとするとその関係はある種の物珍しさからはじまった行動にすぎないいんじゃないかな。幸福をあまり知らないで生きてきた僕たちが、よそ様の幸福の香りをかいでみたいと感じたにすぎない。だとしたら、その関係はいずれ終わるだろう。

安易すぎた処女喪失を君が後悔していないのなら、それはそれでいいんじゃないかと僕は思う。でも一つだけ警告しておくと、深入りする前にその人との関係は終わらせた方がいい。気持ちがあるなら僕は止めないけれど、幸福をのぞいてみたいだけで持った関係なら、そこでやめておく方が絶対に身のため。君は君の幸福を探すべきだろう。カズ君や木場さんの奥さんが可哀相だなんて当たり前の説教をする気はないよ。だけど、君が見ているものはただの幻想にすぎないわけだから、というのは幸福というのはね、きっと人間の数だけあるもので、君がのぞいたのはその一つにすぎなくて、君には君にぴったりの幸福が必ずあるはずなんだ。

だから僕が心配しているのは、君が木場さんの腕に抱かれていた時の幸せを得たいがためだけにその人との関係をずるずると続けた場合のことだ。一度なら過《あやま》ちですむけれど、習慣になってしまうと、くせのようなもので、止めるのがなかなか難しくなり、君は自分から泥沼に身をひたしてしまうことになる。

君はもっと自分を大切にするべきじゃないだろうか。その人がどういうつもりで君を誘惑しているのかはわからないから想像でものをいうのはつつしむけど、かりにその人が本気で君を好きになったりした場合、苦しくなるのは君の方だと思う。なぜなら、李理香はその人のことをなんとも思っていないわけだからね。遊びでした、とは言えない。ただ他人の幸福の匂いをかいでみたかった、とも言えない。向こうが、本気になることの方がやばいような気がしてならない。だって、家族もいるし、いろいろとあるだろうから。

君はもう少し周辺を見回してみてはどうか、と思うな。あるいは、外に出かけていく方がいいよ。友だちがいない、というのは僕もいっしょだけど、僕はある時から無理して仲間を作るようにした。みんながみんないい友だちにはならないけれど、いろんな奴《やつ》と出会うことで人と向き合う基準が増える。人間には人間の数だけ存在理由があるんだってことにも気がついていく。

園の中とか、狭いところで出会いを探さない方がいいようだね。せっかく社会に出たんだから、少し歩いてみてごらん、人間たちの間を。そして、やっぱり恋をするべきだと思う。愛はね、もっと先でいいだろうから、まず恋をしよう。街に出て、恋をするんだ。

君の年齢にふさわしいものだけが恋ではないけど、結果、それが妻子のある人だってかまわないんだと僕は思うけれど、一番良くないのは、気持ちがないのに恋や愛をしている気分だけを手に入れようとすること。

人間は道具じゃないからさ、やっぱり気持ちを入れないと。

そういう僕も実際には恋愛が下手で、今まで一度も他人を好きになったことがなかったんだけど、今回ははじめて異性を好きになれそうな気がしているんだ。まだ一方的な片思いの段階だけれど、多分、これが恋だと思う。

その人のことは前の手紙で書いた通り、母親が通う病院で出会った。と言っても、彼女とは母さんが診察を受けている間、待合室でたまに世間話をする程度の仲なんだ。とても、恋をしている、と言える段階ではない。でも一目惚《ぼ》れというのか、こういう気分になったのもはじめてのことで、だからいったい自分がこの気持ちをどう扱うのか見極めてみたいというのはある。

一目惚れとか片思いとか、そういうのって歌の中だけに出てくるものだと思っていたから、自分が異性にどきどきしているのが不思議でしかたがない。二十三年間、生きてきてはじめてのことだから、これも真実として君に伝えるけど、はずかしい話、いったいどうしていいのかわからないんだ。普通の人だったらどうするだろう。声をかけたいなって思うだけで耳たぶの裏側が熱くなる。ぼうっとして、どうしようもなくなる。

その人はいつもうつむいていて、ちょっと暗い印象を受けるんだけど、でも横顔かな、マリア像でも見ているようなオーラがあってね、ふし目がちな目が見ている先が気になってしかたがない。何を考えているんだろう、とその人の心の中をのぞいてみたくてしようがないんだな。その人の心の中。

他人の心の中をのぞいてみたい、と思ったのは生まれてはじめてのことで、僕はこれが恋というものなのかって気がついた。いや、わからない。恋をしている、ということがどういうことか今までわからなかったものだから、そう思ったにすぎないんだけど、どう思う？　相手が何を考えているのか知りたいという強い欲求、これが恋の原動力なのかもしれないね。

君と木場さんの件について、僕がとやかくいうことではないけど、君が本当の幸せを手に入れたいのなら、君はまず恋をすべきではないだろうか。そして僕もまた同じで、だから今度の出会いではじめて心が動いていることに少しの期待を持っているんだ。

少なくとも生まれて初めて心が動いたことは君に真実として報告したい。そしてそれが恋のはじまりというものだと僕は確信している。君も心が動いてこそ、はじめて本当の幸福が来るということを知ってもらいたいんだ。君は木場さんに対して、心が動いているかい？

どうか木場さんには深入りしないでほしい。君は気持ちの先に結ばれた糸をたぐりよせてみた方がいい。そして街に出て、恋を探してほしい。

若葉の季節でしょ。色づいている東京の街の絵をニュースで見ました。君が生きている下北沢という町がどんなところかわからないけれど、きっとそこにも神社やお寺や公園や緑道なんかがあるんだろうね。抱え込まないで、たまには晴れた日に木々のたもとで、大きく深呼吸をしてください。

草々

五月十日

基次郎拝

遠野李理香様

こんにちは、基次郎、葉書でごめん。

ありがとう。なんかうれしかった。気持ち大事にする。自分も大事にするよ。でも今は流されてもいたい。深みにはまらないていどにこの川の流れに逆らわないでいたい。

そうだ、話は変わるけど、気になっているのにいつまでもほったらかしにしたままの物って意外と多くない？　私ってさ、そういうのとても多いんだよね。たとえば、テニス教室をもうずっと長いこと休会したままにしていたり。手入れもせず外に雨ざらしにしてちっとも乗らない自転車とか、解約しないでそのままにしている使っていない銀行の口座とか。借りたままの写真集や、治そう治そうと思っている虫歯なんか。

もうどうしようもなくなる時まで、きっとこのまま気にしているだけなんだろうね。やっぱり生き方の問題かな。その時になって突然あわてて四苦八苦するのは目に見えているのに。

五月十三日
リリカ

親愛なる李理香さま
気になるのにほったらかしのままにしてあるものは僕にもたくさんあるよ。それは友だちとの果たせないままにしてある約束。もうずいぶんと前のことになるんだけどね、高校の時の同級生と、自転車で北海道を一周しようと約束しあった。男の約束だぞってお互い強く念を押しあったんだけど、それっきりになっている。彼は市役所の生涯教育課という場所で働いていてね、小さな町だから、会う気になればいつでも会えるのに、逆にこの近すぎる距離がいけないのかな。約束はいまだ果たされていない。北海道一周は高校時代の僕の夢だった。この約束は果たされるのかね。年々、難しくなっていくよう。葉書もいいね。でも字だらけ。

基次郎拝

追伸　文通をしている理由の一つに、ここではない世界の話をたくさん知りたいということがある。

五月十六日
モトより

親愛なる李理香さま
注意、さっき葉書を出したばかりだけど、なんかもう一通出したくなってあわてて書いているところ。だから二通続けて届くはずです。

先日、大阪からやって来たという絵描きさんと仲良くなったのね。ムーミンに出てくるスナフキンにそっくりな人なんだけど。

年は僕よりも五つほど上だと思うんだけど、でも同級生のような感じで気楽に話のできる不思議な人だった。休憩時間に一緒にご飯を食べて、大阪や、彼がずっと旅をしてきたヨーロッパやアフリカのことなんかを教えてもらった。感動したよ。想像がふくらんで、まるで僕が自分の足で外国を旅行したような気分にひたれたんだからね。

彼は別れぎわ意味ありげに、世界中の人はみんな友情でつながっているんだよって言い残して行ったんだ。

それから数週間が経《た》って、一本の電話がかかってきた。小学生の頃の同級生で、綾子さんといういつも学校にいっしょに通っていた子からで。綾子さんが突然、スナフキンさんという人あなたの友だちなの？　と聞いてきた。驚いて聞き返すと、つまりこういうこと。ほらよく、友だちの友だちが子供産んだんだ、とか、友だちの友だちのそのまた友だちが宝くじで一千万円当たったらしいよ、とか聞くでしょ。そういうやつ。伝言ゲームみたいなものなんだけど、スナフキンの友だちの友だちの友だちのそのまた友だちあたりが、つまり綾子さんだったわけ。わかる？　難しいよね。

たとえば僕と李理香の間にも、ある一つの友情のつながりが存在しているわけでさ。李理香へ直接電話をかけないで、キミの住む町にできるだけ近い僕の友人のところに電話をかける。下北沢に友だちはいないから、まずは東京近郊の友だちでいいだろう。今度はその東京近郊の友だちが下北に近い世田谷区に住んでいるそのまた友だちに電話をかけるわけ。世田谷の友だちは李理香が住んでいる下北の友だちを探して電話をかける。だんだん近づいていくよね。今度はその友だちが李理香の知り合いの人とつながりのありそうな、これはあくまでも推測していかなければ駄目だけどね、近そうな友だちへ電話をかける。そうやってどんどん李理香へ向かって友だちの輪を絞っていくわけ。すると何人目かで必ずこの電話はキミのところに通じるというわけなんだ。信じられないだろうけど、これは必ずつながるマジックだ。

同じような方法で僕のところにスナフキンからのメッセージが届いたんだよね。こんな具合。

やあ、元気かい。ほらね、世界中はみんな仲良しだっただろう、と。

ね、すごいでしょ。本当にスナフキンが言ったように世界はつながっていたんだから。友情ってなかなか偉大なものなんだよね。今度、試してみる？

五月十六日夕刻

長沢基次郎

PS　考えてみたら僕たち、関東と北海道で文通をしているんだね。手紙はどんな方法で君のところまで届けられるのかな。飛行機？　それとも汽車かな。インターネットの時代に、古風で呑気《のんき》な心の旅だ。

親愛なる基次郎さま

スナフキンさんの話、面白かった。友だちの友だちって結構つながっていそう。それを思うと世界って一つなんだなって感じる。

そう言えば、私の友だちのそのまた友だちぐらいの人に、この人、下北沢の病院に勤める看護婦さんなのですが、やはり函館《はこだて》の人と文通をしている人がいるらしいの。どんな文通をしているのかは聞かなかったのでわからないけど、ふと相手が基次郎のような気がしてしまって。ねぇ、基次郎、基次郎は私以外の人と文通なんてしていないよね。今まで気がつかなかったけれど、ペンフレンドって何人いてもおかしくないもの。どこか他の町に私とは違うペンフレンドがいるんじゃないかしら。もしそうだとしたらショック。それってペンフレンド浮気とでも言うのかな。あ、どうか安心してね。私は基次郎としか手紙の交換はしてないからね。また手紙書きます。

五月十九日
遠野李理香より

追伸　時々、空にきらめく星を見ながら、基次郎のことを考えている。夜空に星が輝く限り、私は基次郎に感謝しつづける。ふと思うの、今こうして私が再び元気で生きていられるのはキミの献身的な友情のおかげなのだ、と。

幾分、立ち直ることができそうな感じ（立ち直りが早いのが取り柄）。

私に苦言を呈してくれるのは世界でただ一人、基次郎さん、あなただけ。

本当にいつもありがとう。

親愛なるリリー

最近僕は料理に凝っている。それもイタリア料理に目覚めちゃって大変。習ったことはないんだけど、だから正確に言うなら、創作イタリア料理とでもいうのかな。昔から説明書や解説書を読むのが嫌いで、ましてや人にものを習うというのが苦手で、だから料理も全くの我流《がりゅう》で、いっさい誰からも教わってはいないんだ。習うより発見する方が得意なんだ。天才肌ということで。

生まれてはじめて作ったイタリア料理は、リゾット。

さて、まず料理の前に僕がしたこと、それは前に一度だけ食べたことがあるリゾットの味を思い出してみるということだったんだ。どんな料理でもそうだけど、えへん、いい料理人というのは食べ物の完成形を頭にぱっと描ける人なんだな。

さて、ここで長沢風カンタン函館リゾットのレシピを紹介するね。

まず小さめのお鍋《なべ》に適量のお湯をわかす。そこに洋風だしの素《もと》を入れ、砂糖を少々。で、だし汁ができたらそこにご飯を適量いれて、お米に味がなじむまで少し煮ます。米はできるだけ硬めに作っておく方がいいかな。それから白ワイン、オリーブオイル、バルサミコを少量入れてさらに煮る。汁気がなくなってきたら粉チーズをしっかりとふりかける。できたら卵の黄身も入れてかきまぜましょう。ほら、だんだんリゾットに近づいてきた。ここにピクルスを千切りにしたものを素早くまぜる。そして皿に盛って、最後にパセリを上からふりかけて出来上がり。長沢流リゾットの完成だ。難しいところはね、つまり適量をどう解釈するかだな。この適量の適度さこそが天才か否《いな》かを決める一つの判断となるんだからね、わかったかな。ボナペティ。試してみてね。

五月二十三日
基次郎拝

基次郎へ
長沢風リゾット、試してみたよ。お世辞抜きでおいしかった。でもリゾットというより洋風のおかゆだったね。
最初に完成した状態を想像してみる、というところに基次郎の天才ぶりをかいま見た気がしました。魚介をふんだんに入れてみたらもっとおいしいんじゃないかな、と食べ終わってから思ったリカでした。bye。五月の二十七日。葉書で失礼します。

李理香より

こんにちは、基次郎。

元気ですか。長沢風リゾット、私的にかなりヒットしています。

最近の基次郎からの手紙を読み直してみたんだけど、二十日ほど前にもらった手紙でモトが言ってた「恋をしなさい、街に出なさい」というメッセージなんかやっぱ心に残ってる、いつまでも頭の中から離れない。

木場さんとのこと、あなたに軽蔑《けいべつ》されると思っていただけに、逆に、すごく心配してくれてありがたかった。恋か。大切なのはわかってるんだけれど。

確かに、木場さんと抱き合っても心は動かない。動かないということは恋でも愛でもない、というあなたの説には説得力があった。間違いない、そうだと思う。

でも結論から言うと、木場さんに深入りしてはいけないという基次郎の忠告を私はあまり守れていないの。昨日もまたホテルに行ってしまった。朝、カズ君を手渡す時に、夜あいてるかって聞かれて、思わずうなずいてしまった。仕事が終わる頃に携帯に連絡があって、渋谷まで出てこないかって。仕事中ずっと基次郎の忠告が頭の中をよぎっていたのに、木場さんの声を聞いたらもうダメだった。また父親のように優しくぎゅっと私のことを抱きしめてくれるんだなって思うと、心よりも先に体が動いてしまったの。

私を抱きながら、軽い女だと、木場さんは思っていたかも。逆に私は抱かれている間、心を閉ざして、ただひたすら事が終わるのを待っていた、その後に待っている安らぎを得たいがために。持ったことのない父親の匂《にお》いを私は彼から必死でかごうとしていた。

肌と肌をくっつけ、男性の胸の匂いをかいだ。心の中で木場さんには聞こえないように、お父さん、と何度も呼んでいたんだよね。そう呼ぶたびに胸が切なくなって、涙があふれ出そうになったもの。でもそれは心が動いたというのではない。感情が過多になっていったという感じ。相手は木場さんでなくてもいいんだと思う。男の人の分厚い胸があればそれでいいような。

抱きしめられながらも、足が勝手に動いて宙を何度も幼児のように意味もなくけった。腕が木場さんの体にしがみついて離れようとはしなかった。もっともっと甘えたくなってしかたなかった。いっぱいいっぱい甘えたかった。

木場さんがそんな私に、どうしたの、と聞いてきて、私は思わず、パパはどうして私を捨てたの、と口走っていた。リリカは必要ない子なの？

自分でも何を言っているのか理解できなかった。木場さんも驚いたようで、え、と聞き返し、それからすぐに、私の心の異常に気がついて、優しく抱き寄せてくれた。私はいっそう木場さんの胸の中にうずくまって、足だけが小さく落ちつかなく甘えてバタバタしていた。まるで園児のようになっていたリリカ。やっぱり嬉《うれ》しいんですね、その瞬間は、とても幸せなの。幸せがどういうものか知らなかったから、彼にそうされている瞬間がとにかく嬉しくてしかたがない。これは幸せというものではない、蜃《しん》気楼《きろう》や幻のようなものだ、と自分に言い聞かせるのだけれど、でもダメなんだ。

街に出て、恋はしたい。でも私が求めているものが街の中にあるとはどうしても思えない。私はいったい何を求めているんだろう。木場さんとの関係はこれからさらに深刻に根深くなっていくような気がする。基次郎、いったいどうすればいい？　どうしたら私は本当の幸福が得られるのかしら。

とにかく木場さんから離れなければ、あなたが心配する通り、どんどんずるずる、奈落《ならく》の底へと落ちていってしまうような気がする。

木場さんとの関係が深まっていけばいくほど、保育園ではいじめがいっそう激しさを増していくような感じがするし。猪原先生にどうも木場さんとの関係を怪しまれているらしく、お遊戯会の打ち合わせの席で他の先生たちを前にして、

「園児の父親に色目をつかっているでしょ」

と指をさされてしまった。どういう意味でしょう、と言い返すと、園にやってくるお父さんたちがあなたをいつもじっと見ている、と言うの。そんなの知りません、私のせいではありません、と言い返すと、猪原先生は片方の頬に笑みをいやらしく浮かべて、誤解されるような目で園児の父親を見たり、無意識にそういうしぐさで接してるんじゃないかな、と言われた。

木場さんのことがあったから、反論はしなかったけど、いじめは最近どんどんエスカレートしていて、カラオケや食事会に私だけ誘ってもらえなかったり、私のところにやたら雑用が回されたり、着ている服が派手だとか、園児の母親に対する態度が横柄《おうへい》だとか、ひどいときはすれ違いざまに、顔が嫌いなんだよね、と言われたり、けっこう息苦しい日々を生きている。

時々ふっと、木場さんとの問題もあるし、このままここで働き続けることはできないんじゃないかなって思う。ここを辞めたら、どんなに楽になるだろうって思う。でもそう簡単に他の仕事場が見つかるわけはないし、あんまり早くここを辞めてしまうと、次の就職をするときに不利になりそうだし、いろいろ難しい問題が山積みです。

話は変わるけど、先日、星の光の前を久々に通った時、ばったり三原先生に会ったよ。あんなに苦しい思いをした養護施設だったというのに、さびしくなるとふらっと足がそっちへ向いてしまうのはなぜだろう。もう二度とここに来ることはないんだって、喜んで飛び出した場所だったはずなのに、まるで故郷のように足が向いてしまう。しかたがないか、物心ついた時からずっとそこで生きてきたわけだし、そこ以外の場所では暮らしたことがなかったわけだから、あれだけ虐待《ぎゃくたい》を受けた場所であるにもかかわらず、すごくすごく気になるのも事実。週に一度は回り道をして、星の光の様子をのぞきに行ってしまうのも、ごく自然なことなのだろう。

私が園庭をのぞいていると、後ろから三原先生に声をかけられた。とても喜んでくれたんだけど、私は困った。星の光に足が向いてしまう自分が嫌でしかたがなかった。よっていきなさい、と強引に園の中に引きずり込まれ、抵抗をしつつも、心は受け入れていたみたい。応接間に通され、お茶を出された。園長は出張中だとかで都合のいいことに不在だった。他の先生たちもあまりいなくて、少しは気が楽だった。

　三原さんは、卒園後のことをやたら根掘り葉掘り聞いてきたけれど、基次郎との文通のことは一言も口にはしなかったよ。やっぱり信用できなくて。保育園でいじめにあったことなんかを小一時間話して、席を立ったんだけれど、別れぎわに三原先生がね、ぽつんと、「お父さんの所在がわかったんだけど、どうする」と言いだしたの。最初はなんのことを言っているのか理解できなかった。それが自分の父親のことだとわかると、急に心臓の鼓動が激しくなって、呼吸もできないほどになってしまった。

　三原先生は私がそこにあずけられた時から働いていて、今では園長についで唯一《ゆいいつ》当時のことを記憶している人でもあるの。それでいつだったか、自分の父親の消息がわかるようなことがあれば教えてほしい、と頼んでおいた。高校の頃に何かのついでに言ったことだったので、すっかり忘れていたんだけれど。

　その少し前、一週間くらい前のことになるんだけど、私を星の光にあずけたという男の人が三原先生を訪ねてきたんだそう。その人は私の父の義理の兄という人で、一時期私を育てていたこともある人で、なんでも重い病気にかかっていて、もしいま自分に何かがあれば私が一生父親と会えなくなるのではないか、と心配したんだって。父親は私が生まれてすぐに二つの不幸に見舞われたそう。一つは自分がやっていた貿易会社の倒産、そして時期を同じくして妻、つまり私を生んだ母親の死に直面するの。それで借金と妻の死という二つの苦痛を抱えた父親は、私を義理の兄という人にあずけて、自分は九州の方に雲隠れすることになるんだって。でも私を一時的に引き取ってくれたその義理の兄という人も、まもなく奥さんと離婚をする羽目になって、とても私を育てていくことができる状態ではなくなってしまうの。それで、その伯父《おじ》さんはいろいろと悩んだあげく私を星の光にあずけてしまうわけ。父はなんとか一人で生きていくことができる状態ではあったということなんだけど、莫大《ばくだい》な借金を抱えていて半ば逃げるような生活をしていたために、とても私を引き取れる状況ではなかったってことなんだな。まあ、言い訳はどうでもいいんだけど、結果として私は星の光の子になった。

でも急に浮上してきた父親の存在というのは、どう受け止めていいのかわからないでしょ。父親は梅ヶ丘という、下北沢から電車でふた駅先にある町の駅前で骨董《こっとう》屋を経営しているんだそう。家はそこから徒歩十分くらいのところにあるんだって。もちろん、新しい家族と暮らしているんだけどね。子供、つまり私の妹や弟ということになるんだろうけど、新しい子供たちと幸せに暮らしているらしい。で、三原先生は一応住所は教えてくれたんだけど、でも会うならまずコンタクトを取ってからの方がいいだろうって。だったら自分が間に入るから遠慮なく言ってくれって。私がいきなり乗り込んでいくのは、先方にも事情や心の準備があるだろうから慎重になった方がいいだろうとアドバイスされた。

でも事情とか、心の準備とか言われてもね。私にはそんなもの無かったわけでしょ。と言うか、物心がつく前にポイされたんだからね。もっとも私、会いたくないけど。いまさら会っても、父親だっていう実感はわかないだろうしね。

不意に現れた父の現住所が書かれた紙切れを眺めながら、ここのところ憂鬱《ゆううつ》な夜を過ごしている。でもきっと会いに行くことはないだろうな。そいつ、新しい家族と幸せに暮らしているわけじゃない。それをいまさら昔の遺物がのこのこ出ていって、やあ、どうも、私があなたの娘ですって言ったところで、何もはじまらないし、そういうの嫌なんだ。

今日の手紙は書いていても苦しいけど、読んでいる基次郎の方はもっと苦しいんじゃないかな。ごめんね。でもこうして自分の気持ちを書きなぐることができるおかげで、少しは精神的に楽にもなれた。基次郎には本当に助けられている。あなたに叱《しか》られたい。馬鹿《ばか》で、醜くて、つまらない私を、叱ってほしい。いつもいつも甘えてばかりでごめんなさい。あなたにもきっと苦しいことがあるだろうに。

季節の変わり目です。風邪などひかないようにご自愛ください。またお返事をお待ちしています。

六月一日

遠野李理香

長沢基次郎様

追伸　恋のその後、聞かせてください。

親愛なる遠野李理香さま

お返事が大変遅れてしまいごめんなさい。僕の方もいろいろとあって、すぐに返事を書けなかった。

叱ってほしいということだったけどね、木場さんのことは僕がとやかく言えることではなさそう。君の抱えている本質的な問題を、僕が言葉でいくら補おうとしても、それは焼け石に水のようなもので、あまり役にはたたないと思う。それに君は自分がしていることの愚かさの意味や事実をちゃんと理解している節があって、だとしたら僕が中途半端《はんぱ》な言葉で君をなぐさめるのもあまり有効ではないように思う。君はただ僕に叱られたくて木場さんとのことを伝えているんじゃやない？

ただ叱られたいというのはわかる。時にはそういうことも必要だと思う。でも叱られたからといって、君が抱えている孤独の闇《やみ》が本質的に光に照らしだされる、ということはないと思う。君は君の力でこの苦悩の洞穴から抜け出るしか方法けないだろうね。

頑張って、とは僕はいいたくない。頑張れ、という励ましの言葉を期待しているのなら、それは今の君には全く逆効果ではないかと思うんだ。がんばれ、がんばれ、と励ます歌ばかりが氾濫《はんらん》している世の中、もうみんなそういう言葉では本当の力は出ない。がんばらなくてもいいんだよ、と僕は言いたい。

そうだよ、今の君には、がんばらなくてもいいんだという言葉を贈りたい。がんばりすぎて、違う道や世界に君がそれていってるような気がしてならない。がんばらなくてもいいのか、と思うと気が楽になるだろう。人間本当はがんばる必要なんかないんだ。そう思うとおかしなもので逆に力が出てくる。だめになる人というのは、自分に負担をかけすぎてしまう人たちなんだと思う。がんばらなくてもいい、自分のペースで進んでいけばいいんだ。

病院に飾る絵の話をしようか。最近は母に付き添ってよく病院に行くようになっただろ、だからこんな話をお医者さんから聞いた。病室にはね、決して甘くてちゃらちゃらした絵は飾ってはいけないんだそうだ。明るい、健康的な絵はかえって逆効果なんだそう。その色彩や画風の向こう側に何かある、と思わせる絵じゃなければいけないんだって。患者がふっと考えてしまうような絵。考えさせるようなメッセージを含んだ絵でなければ患者は生きることへの努力をはじめないんだって。なるほど、と思わない?

生命力の不思議だね。ちょっと何かを投げかける絵だと、患者はそこに生きるヒントのようなもの、あるいはさりげない希望への糸口を見いだそうと頭を働かせることになって、前を向こうとするんだと思う。

だから僕は君にただがんばれとはいいたくない。

僕の方は君以上に大変なことが起きていて、何から話せばいいのか整理がつかない状態が続いているよ。

十日ほど前のことだけどね、例の病院で知り合った女の子とはじめてのデートをしたんだ。函館港のすぐそばのレストランに二人で行って、食事をした。そして二件目のカフェでその子に友達になってもらえないかって申し込んだんだよ。僕にとっては生まれてはじめての告白で、これに失敗したらあるいはもう二度と誰かに恋をすることもなくなるのではないかというくらいの緊張の一瞬、大きな賭《かけ》だった。結論から言えば、その申し込みは、あっけなく断られてしまうことになる。

自分にしては珍しく食い下がって、どうして自分ではダメなのかって聞き続けたんだ。友だちになってもらえないのなら、それが恋の場合はもっと難しいわけでしょ。何とにかく断られる理由を知りたかった。だって、デートには応じてくれたんだ。何か自分に問題があるから、友だちにはなれないのだろうって考えた。そしたら、その子はこう言った。自分はある病気にかかっていてしかもその病気は治りにくい病気なのだ、と。もしも友だちになって仲良くなって、あるいは恋に発展してしまった時に、最終的にあなたに悲しい思いをさせてしまうのは申し訳ない、ということだった。

なんだか、はかりの上に載せられたような感じだったな。最終的に、というのがどういう段階のことなのかすぐにはわからなかったけれど、すごくいやな感じがした。

返事が遅れた理由もそのことで珍しく悩みに入っていたせいもある。というのはその数日後に、彼女から正式に病名を聞かされたんだ。筋萎縮性側索硬化症《きんいしゆく》という病気だった。

よく知らなかったのでいろいろと調べてみたんだけれど、その病気はとても恐ろしい病気でさ、だんだん筋肉がやせ衰えて動かなくなってしまうというものなんだ。発病してからもしばらくは普通の生活が送れるんだけどね、そのうちだんだん動けなくなっていって、入院を余儀なくされる。そのうち、足や手がまったくいうことをきかなくなって、声さえも出なくなる。のどを切開しないと空気さえ吸えない状態になってしまって、最後は死ぬのを待つだけなんだって。不治の病といわれ、その原因もいまだにはっきりと解明されてはいない難病なんだそう。

まるで映画やテレビの世界の話のようでさ、きつねにつまれた感じがしたけれど、次第にそれが現実だということがわかってくるに従って、自分のことのように心が暗くなっていった。実際に彼女が抱えている問題というのは、絶望に近いようなもの、いや絶望を通り越しているような諦《あきら》めそのものでもあったわけだからね。

僕は悩んだ。とにかく悩んだ。毎日眠れなくて、会社も二、三日休んでしまったほどだ。でも今はなんとか立ち直ることができたので、こうして君に手紙を書くこともできるようになった。

結論を知りたいだろ。僕は幾晩も寝ずに悩んで、悩み抜いて、それが単なる哀れみからではないということを知って、僕はもう一度彼女に交際を申し込んだんだ。友だちとして、ではなく、本当の交際の申し込みをした。

返事はやはりすぐにはこなかった。その間もなんども連絡をいれ、自分の気持ちに偽りがないことを伝えつづけたんだ。これはボランティアではなく、恋だと、僕は彼女に伝えたよ。そしたらある日、彼女から連絡があった。よろしくねって。

彼女の病気の生存率はかなり低い。発病から三年以内に多くの方が亡《な》くなられる。彼女の場合、発病してすでに一年が過ぎているので、短い期間しかともに生きることができないかもしれない。しかも後半はやせ衰えてきっとその姿は見るに痛ましい限りだろうし、のどを切開したらもう言葉さえ話せなくなるんだ。そんな人に恋をしようというのもつらすぎるスタートだけど、こうして交際がいざはじまってみると、あまりの現実の壁の高さにめまいを覚える。自分がしていることがただの偽善ではないのかと思えて苦しくなることもしょっちゅう。

昨日、はじめて彼女とキスをした。けれど、それ以上に進むことがあるんだろうか。今は何も想像ができない。想像するのも怖い。毎日が切なく過ぎている。とにかく今日一日をなんとか生きて、明日また会えるかどうかを神様にお願いしているという状態なんだ。というのはこの病、突然心臓が停止して亡くなるというケースもあるらしいので。

何もかもが突然来たという感じだよ。どうしたらいいのかまだわからない。全て《すべ》が自分に押し寄せ、今日このように絶望のど真ん中にひたるまでにわずかに二週間もかからなかったことが嘘《うそ》のようだ。二週間前に、君を励ましていた自分は残念ながらもういないんだ。

でも唯一の救いは、彼女が明るいということだろう。生まれつき明るい性格だったことが幸いしたんだと思う。彼女は自分の未来が極端に限定されているということを知っていながら、周囲にあたったりはしない。まるで修行僧のような態度で、それらを受け止めている。

彼女の名前は国谷蕗乃《ふきの》。普段はフキちゃんと呼んでいる。今はフキちゃんが幸せな最期《さいご》を迎えるにはどうしたらいいのかということで頭がいっぱい。君を上手に励ますことができずごめんなさい。君も僕も絶対に人生をなげてはいけないんだと思う。まだまだ必死で生きなければならないんだと思う。

六月十二日

基次郎拝

追伸　君はお父さんに会うつもりはないの？　僕は会ってみてもいいのではないかと思う。でも無理にはすすめられないな。でも、もしも僕に自分を生み捨てた親が現れたなら、会って話してみるだろう。そうじゃないと、親の本当の気持ちが理解できないんじゃないかって思うんだ。そうせざるを得なかった理由というものがあるのかもしれないじゃない。聞けば納得できることもあるかもしれない。親にならないと親の気持ちはわからない、と人はよく言う。捨てられた僕たちは、そういう言葉にさえもむかつく時はあるけれど、一理はあるんじゃないかと最近考える。

どうしても育てられない事情というのを君がきちんと理解できれば、またその人を許すことにつながるようにも思う。人を憎むのは簡単だけれど、理解するのは難しい。君を生んだ親が、君のことを忘れてしまっているわけはない。きっとそれなりの理由があるように思うんだけど。いますぐである必要はないだろうけれど、機会があるなら会ってみてもいいんじゃないだろうか。

こんにちは、基次郎。

基次郎からの手紙を読んでね、やっと自分の愚かさに気がついたよ。私、難病と闘っている国谷蕗乃さんという人にさえ、焼き餅《もち》をやいたんだから。基次郎のことをいつしか私は世界で唯一《ゆいいつ》の心の支えだと思っていたから、蕗乃さんの看病に明け暮れているモトの姿に理解できないほど激しく嫉妬《しっと》した。なんて醜い人間なんだろうね、私って。私と基次郎とは絶対に会わない約束を交わした真の文通仲間なはずなのにね、まるで恋人が去っていくような、別の人のところに去っていってしまったような悲しみを覚えたのよ。死と直面して苦しんでいる人にさえ私は嫉妬をするのね。あなたがその人を優しく看病していると思うだけで、心が苦しくなる。

それほど私はあなたとの文通に依存していたということでしょうか。

でもなんとか、自分の愚かさにも気がつくことができたよ。基次郎に恋人ができたことを認めることができるまでに立ち直ることもできた。それをやっと喜んであげられるくらいに立ち直りました。ああ、変な話。嫉妬って本当に醜い。不治の病の人にさえ嫉妬してしまう自分、正直もここまでくると恐ろしいわ。

だからこの梅雨の時期、私もしとしとと過ごしていたんです。でもいつまでも濡《ぬ》れて暮らすわけにはいかない、この心のもやもやを払いのけるには生活を変えるしかない、と気がついた。それでようやく、ずるずると関係が続きそうだった木場さんと別れることにしたの。

でも、別れ話を持ち出したとたん、彼の様子が一変した。先週の終わり、私の意思を伝えたんだけど、その翌日からおかしな電話がかかってくるようになって、携帯をわざと切っていた、そしたら今度は彼の待ちぶせにあった。保育園からの戻り道、まだ空が明るい時間だったにもかかわらず、彼が家の前にいたのには驚いた。会社はどうしたのって聞いたんだけど、そんなことはどうでもいいって怒鳴られた。目つきが違っていて、変なの。普段は温厚な人なのに、豹変《ひょうへん》という言葉がまさにぴったりという感じで、怖かったな。

「俺はお前を愛しているんだ」

と木場さんは声を張り上げて言うの。私は、このままだらだら肉体関係だけが続くのはいやだし、一度時間をあけてゆっくりと考えるゆとりがほしい、と言い返したのね。すると、いきなりぷっつんと切れて、家族を捨ててもかまわないんだ、と大声で叫びだした。そんな人だとは思わなかった、もっと大人で、理性のある人だと思っていた。でも、驚いているだけではすまされない事態になりそうな予感がある。なんとか彼を振り切って家に戻ったけれど、彼は上まであがってきてドアを叩《たた》き続けたのよ。

このまま終わるような気がしない。怖い。家族を捨てるってどういうことだろうって、ノックの音を背中で感じながら、部屋の中で頭を抱えてしまった。夜もそのことで頭がいっぱいで眠れなくなってしまったの。家族を捨てるって、どういうこと？　私はあの人の家庭を崩壊させるためにあの人と関係を持ったのではないのに。ただ、温《ぬく》もりがほしかっただけ。それ以上のものは求めていなかった。それは彼もわかっていると思っていた。彼が、思っていたよりもずっと子供だったことは予想外だったわ。基次郎の忠告通り、大変なことになってしまったわけ。もうどうしたらいいのかわからない。これは全て自分が招いた罪に対する罰なのよね。そうだ、天罰だ。世の中って不公平だと思う。親のいない私がちょっと親の香りをかごうとしただけなのに、それが他人様のものだったせいでこんな天罰を受けるんだから。でも私も悪いかもしれないけれど、誘ってきた相手も悪い、それに彼の奥さんにだって、そういう気持ちを夫に抱かせる何か問題があるわけでしょう、私一人が悪いとはとても思えない。なのに私だけに天罰がくだるのはいったいなぜ。神様なんてすごく不公平な存在だと思う。

神も仏もないって言葉、私にとっては励ましの言葉でもあるんだ。励ましの言葉、そんなものに頼って生きていかなければならない人間なんかになりたくない。私は神も仏もなくても生きていける。私は天罰なんか怖くない。私にだって温もりを味わう権利はあるはず。生き物である以上、私にも幸せの匂《にお》いをかぐ権利はあるはず。何も怖くない、地獄に落ちても、平気。

　昨日の金曜日、仕事が終わって未明とご飯を食べてから、少しお酒を飲んでいた勢いに助けられてかな、基次郎の勧めに従って（基次郎のせいにしてごめん）、私は梅ヶ丘にあるあの人（父とは呼びたくないので）の家をこっそりと見に行ってきたよ。羽根木公園から歩いて七、八分の閑静な住宅地の中にあの人が家族といっしょに暮らす家があった。それがね、拍子抜けするくらいに可愛《かわい》らしい家で、まずそのたずまいに驚いた。家自体は大きくはないけど、煉瓦《れんが》作りでまさか暖炉があるのかしら、屋根から煙突が生えていて、それにちゃんと庭もあって、そこにはこれまた可愛らしい犬小屋もあった。垣根越しに中をのぞくと、居間に灯りがついていて、人影が見えた。家族の団欒《だんらん》というやつだな、というのはわかったけど、薄いカーテンが邪魔してそれぞれの顔の細部まではわからなかったんだ。心臓がうなりを上げてて、動脈が破れちゃうんじゃないかってほど心臓はばくばく。緊張した。しばらくして誰かが、学生風の若い男の子だったけれど、彼がカーテンを引いて、窓を開けたんだ。すると家族全員の顔がはっきりと見えた。犬が吠《ほ》えて、少年が犬に餌《えさ》を与えようとしていた。すぐその後に少年の姉なのか高校生くらいの女の子が現れ、いきなり「パパ、クロったら散歩に行きたがってる」と言いだしたの。パパという言葉で今度は不意に心臓が止まりそうになった。するとまもなく奥の方から浅黒い顔の大きな体つきの男性がにょきっと現れて、その横には妻とおぼしき人が寄り添って、少年たちをいとしそうに見つめているの。男の人はまるみのある体型をしていて、ほがらかな笑みを浮かべていた。これが自分を産み捨てた親なんだって思った。こんな顔をしていたんだって、目がクギで止められたようにその人の顔から動かなくなった。想像していたぎすぎすとした感じはまるでなかった。目尻《めじり》の端に優しいシワができていた。苦労のかけらも感じられないゆるんだ笑みは、あまりにも脳天気で……。

「そうか、じゃあ、その辺まで散歩に行ってみるか」

あの人は顔中に優しい微笑《ほほえ》みを浮かべて、そう言った。私の心臓はその間ずっと停止していたと思う。瞬《まばた》きも呼吸もできなかった。血も流れていなかった。生きていながら、まるで彫刻のような硬直具合だった。どうしてあなたはそんな顔ができるの？どうしてそんなに優しい顔ができるの？

次の瞬間、血管中の血が煮えたぎり出した。今度は激しい怒りが私の内側を突き抜けていったの。かつて感じたことのない怒り。だれにも向けられずにずっと心の底にため込んできた怒りだった。それが一気に沸騰《ふっとう》して全身の毛穴からふきこぼれそうになった。

犬を連れてあの人が家を出てきた時、私はまだ怒りがおさまらず、その垣根の脇《わき》から動けないでいた。何をしようとしていたのだろう、いきなりあの人の前に出ていって、顔を殴りつけてやることもできたはず。でもそれもできなかった。

犬にひっぱられて門から出てきた少年と少女が最初に私のことに気がつき、次にあの人が暗闇《くらやみ》にたたずむ私を不審がって、何か、と質問してきた。私はじっとあの人の顔を見つめた後、梅ヶ丘駅に行きたかったのですが、どうも道に迷ってしまったみたいで、と言ったの。それが精一杯だった。じゃあ、途中まで一緒に行きましょう、とあの人が言いだし、少年と少女が素直に、本当に素直に、僕らが案内しますよって言いだした。

その二人があの人の子供なら、それはつまり、私の妹と弟ということになるわけでしょ。駅まで導かれている間ずっと吐き気をこらえていたのよ。仲むつまじい親子の後ろ姿を見ながら自分が惨《みじ》めでしかたなかった。なんでこの人たちだけが幸せで、自分だけがこれほど惨めでなければならないのだろうって。これが神様のしわざだとしたら、私は何を信じて、何にすがって生きていけばいいのでしょう。悔しくて、悔しくて、怒りで前も見えないほどだった。

羽根木公園の途中で親子とわかれ、駅へと向かう道すがら、私は自分の頰をとめどなく流れ落ちる涙を何度も何度もぬぐわなければならなかった。私の小さな肺はひくひくとむせび、呼吸をするのさえもままならない状態だった。振り返ると、公園の丘の上で犬とたわむれる親子の仲むつまじい姿があった。そこに自分が参加できない不条理を私はただただ呪《のろ》うことしかできなかった。

基次郎、あなたには、あなただけには私のこの気持ちがわかるよね。同じ境遇で生きてきたモトには、私のこの悲しみがわかるでしょ。幸福は許せないと思った。幸福と名のつくものは全て許せないと思った。一度も私は幸福じゃなかった。あの人たちの幸せが憎かった。

どうしてあの人は微笑んでいられるんだろう。

六月二十日
李理香

追伸　基次郎兄と蕗乃さんとの恋、言葉ではうまく言えないけれど、限られた時間という枠に負けないすばらしい恋であってほしいと思うし、それぞれの思いが強く結ばれ、二人が永遠に忘れることのできない幸せな一時を生きられるようお祈りしています。

今日、カズ君が保育園を無断で欠席してしまいました。何か少し、気になる。嫌な予感がする。なんでもなければいいんだけれど。

拝啓

七月に入り、夏日が続いています。元気ですか。返事が戻ってこないので心配しています。私があまりにも真実を書きすぎて、お兄ちゃんを混乱させてしまったのではないか、と不安な日々を過ごしています。あるいは、フキさんのことで何かお兄ちゃんを悲しくさせることが起きたのでしょうか。いつもだったら、すぐに返事が来るのに。

なんか前の手紙で私、何かひどいことを言ったかしらと、このところ不安でしかたありません。いや、言ってる。呆《あき》れるようなことを、木場さんとのめちゃくちゃな関係についてしゃべりすぎたかなと反省しています。いくら、真実だけを言い合う仲と言っても度というものがあるはずでした。それを逸脱して、本当に私ったら馬鹿《ばか》だった。ごめんなさい。

それにフキちゃんに嫉妬したことも原因だろうかと悩んでいます。何もかも、気になって、眠れません。どんな内容でもかまいません、お返事ください。文通をやめようという内容でもかまわない。それはそれで、しかたがないことだと思うからです。全《すべ》ては私のゆがんだ生き方に問題があるわけだから。基次郎に甘えすぎた私がいけないのだから。でもこのままお返事をいただけないと、ちょっと苦しすぎる。お願いします。お返事をください。

七月八日

リリ

PS　カズ君はその後も保育園を休み続けています。相変わらず木場さんのストーカー行為は続いています。昨日園長室に呼び出され、木場さんの奥さんから抗議の電話がかかったと連絡がありました。木場さんが寝言で私の名前を叫んだらしいのです。

それで夫婦げんかになり、木場さんが奥さんを殴りつけ、奥さんはカズ君を連れて福岡の実家に戻ってしまいました。カズ君が休んでいる理由が自分だとわかり、さらに苦しい日々の中に生きています。木場さんには早く家庭に戻ってもらいたいのに、彼は一日おきくらいにやってきて、結婚しようと言います。

助けてほしい。

こんにちは、モト。

東京は猛暑だよ。それでも保育園に休みはないんだ。お盆に少しだけ休みがあるけど、幼稚園とは違ってね、保育園は会社の暦《こよみ》といっしょなの。だって親御さんが働いている間、子供をあずかるのが保育園の仕事でもあるわけだからね。

今日は園庭の水まきがとても気持ちよかったよ。ホースの先から飛び出す水の周辺にきれいなきれいな虹《にじ》ができた。それを園児が見つけてキャッキャ言って騒いでいた。

夏はやっぱり朝が気分がいいな。

まだカズ君は休んでいる。彼の下駄《げた》箱が空なのを見るたびに胸が切なくなる。そして自分が犯した罪の重さに少し気がついてきた。早くカズ君が東京に戻ってこられるようにするには自分がここを辞めるしかないのかなって思いはじめたよ。

(ここから日替わり。手紙をいっきに書けなくて、間に一晩が過ぎています)

今日、園長室にまた呼ばれた。鬼の猪原先生が園長のとなりにでんと構えていて、その前にカズ君のお母さん、つまり木場さんの奥さんが座っていたの。体温が三度ほど低くなるのを覚えた。それから苦痛の時間が流れて、いろいろ猪原先生に攻められた。私はずっと身に覚えがない、と否定しつづけたけれど、木場さんの奥さんが泣いている姿はこたえたな。

それで夜、木場さんを近くの神社の境内に呼び出して、保育園を辞める覚悟があることを伝えた。でも木場さんは相変わらず興奮気味で、私でなければダメだと言いつづけた。いっしょにどこかよその町へ行って二人で力を合わせて一からやり直そう、と言うの。苦しいやり取りだった。でも自分がしたことへの責任はあるものね。やっぱり保育園を辞めるしかないんだろうな。

基次郎からの返事がこなくなって一月余りが流れたけれど、お元気ですか。お返事をいただけなくても私、しばらく手紙を出しつづけていいですか。モトのお返事をもらえなくとも、こうして誰かに自分の気持ちを伝えることができると、まだ少し気が楽になるのです。わがまま、ごめんね。

夏の暑さに負けずに頑張ってください。きっと夏まっさかりだからロープウェイの仕事が忙しくて返事を書けないでいるだけじゃないかと考えるようにしています。じゃあ。

七月十八日
遠野李理香

長沢基次郎さま

# 4　おしゃべりな九官鳥

こんにちは、基次郎。

保育園を辞めたよ。いろいろと悩んだあげくに、そうするしか方法がないってわかったんだ。そして木場さんにもそのことを告げて、彼もやっと私の決意を理解してくれたみたい。その時の木場さんって、とてもやつれていて、あの父親のような立派な胸も肩もまるで流木のようだった。

未明から連絡があって、カズ君が保育園に戻ってきたという報告もあって、とりあえずこれで良かったんだろうなって安心しているところ。仕事がなくなってしまって、とにかくお金が必要なので、夜の仕事をはじめました。どんなに貧しくなっても夜の仕事にだけは絶対に踏みいるまいと心に決めていたんだけれど、でも背に腹はかえられない。全然お金がないし、頼ることができる人もいないし、自分のことは自分でなんとかしなければならないので、いやだったけれど夜の道を選択しました。

といっても風俗じゃないよ。普通のクラブで、お金持ちのおじさんたちと一緒にお酒を飲むだけの（それなりに健全な）仕事。時々、触られたりするのを我慢しながら週に四日ほど出かけてる。みじめではあるけど割り切れば生活にはある程度ゆとりが持てるし、一時期のアルバイトだから、正式な仕事が見つかるまでの避難場所だと思って我慢している。我慢我慢、なにごとも我慢だよ。

またどこかの保育園で働きたい。昼間は職安に行って、子供たちと接する仕事がないか探している。託児所とか、企業内にある保育施設とか、そういうのを探しています。

モトはどうしてる？　元気にしてるかな。無理しないでね。

八月七日
リリカ

前略

ごめんね、長いこと手紙を出すことができなくて、ふた月以上もご無沙汰《ぶさた》してしまったね。君からの手紙は読んでいたんだけど、いろいろとあって、落ちつくまで手紙を書くことができなかった。

返事を戻すまでに時間がかかったのはね、フキちゃんの容体があれから急に悪化して（そうだよ、交際をはじめたとたんだった）、そのことで彼女がふさぎ込んでしまって、ずっと看病をしていたんだ。足の筋肉が急に衰えを見せはじめて、歩くことができなくなって、緊急入院となった。ベッドから起き上がることができず、たぶんもうずっと最後までそうなんだろうな、さすがに本人の精神的なショックは大きいんだよ。自分の意思で自分の肉体をコントロールできなくなるという現実に直面して、彼女ははじめて死というものの恐ろしさに気がついたようだった。

フキちゃんの病気は恐ろしいよ。死が肉体の先から心臓を目がけてじわじわと迫ってくるわけだからね。ゆっくりと長い時間をかけて絞め殺されるような恐怖だろう。死ぬまでの期間、彼女はずっと死ぬという現実を見つめて生きていかなければならないんだから。肉体を失っていく現実のむごさを理解しながら死んでいくなんて、とても僕には耐えられないことだ。それに耐えているフキちゃんの姿は痛々しすぎる。

こういう現実を目《ま》の当たりにするとね、世界の見え方が変わってくるよ。親の愛を知らずに育った自分の生い立ちを呪《のろ》ってみても、こうして今は五体満足で生きていけているわけだ。君が苦しいのもわかる。でも君よりももっと苦しい人がいる。自分の力ではもうどうしようもないところで生きている人がいる。そういう人と君とを比べるのはおかしな話だとは思うけれど、自分だけが苦しいと思わないでほしいな。僕もいま、生きるということの尊さを学びなおしている気がする。

今僕は毎日、仕事の帰りに病院によって彼女を励ます日々の中にいる。患者ってどんなに人間ができている人でもわがままになるものでね、最近では約束の時間に五分でも遅れようものならもう大変。おそかったじゃないって、怒りだす始末だ。こっちにしてみればわずかに五分なのに、向こうにとってみれば一日中待っているわけだから、たったの五分でも二十四時間待たされたのと同じなんだ。だから、僕は仕事が終わったらいつも函館《はこだて》の坂道を走ってる。視界の先に函館港に停泊する船や遠くそびえる山々の美しい峰の連なりを見ながら、僕は全速力で走っている。自分だけがこんなに健康であることを申し訳なく思いながら、手や足を必死でのばして走っているよ。

人を好きになるということは大変なことなんだなって、生まれて初めて他人に恋してみて、わかった。自分ではない人間の気持ちになって考えることがどんなに難しいことかということも知った。でもふとこの恋に期限があることを思い出し唖然《あぜん》となる。はじめて恋してはじめて両思いになったのに、二人を引き裂くものがすぐ目の前に迫っているということが信じられない。君ではないけれど、神も仏もない、と思いたくなる。

でも長く生きることだけが人生ではないだろう。無理して前向きに生きようとするわけではないけれど、時間なんて人間が作った基準にすぎないわけだから、この一瞬一瞬をしっかりと生き、記憶していくことが大事なんだと思う。フキちゃんに与えられた時間はあと二年もたぶんないんだと思う。あと一年は一緒にいられるだろうか。どう考えても短かすぎる。夜も眠れなくなる。仕事も手につかないし、ご飯もおいしくない。ちゃんと食べてるの、とフキちゃんに心配されてしまった。彼女の前では笑顔でいようと思うのだけれど、短かすぎる期限のことを考えては涙が出そうになり、ここで自分が泣いてはいけないんだと我慢する毎日。だれがこんな人生を創造したのだろう、いったいこの試練にはどういう意味があるのだろう。きっと何かの意味はあるんだと思う。これを乗り越えることできっと神や仏は僕に何かを伝えようとしているんだ、と思うようにしているよ。

やっぱりフキちゃんの明るさだけが救いかな。五分の遅刻には怒るけど、でもやっぱりこの子はどんな状態になっても前向きさを忘れない強い子だ。決して最後まで人生をなげないで、生ききろうとする姿には逆にこちらが励まされてしまう。彼女の口ぐせは、笑おう、というものなんだ。笑おう、とにかく人間は悲しむために生まれてきたんじゃないんだから、笑おう、笑わせて、もっと私を笑わせて、と言うんだ。フキちゃんの笑い声は人一倍大きい。病室中に響くくらい大きな声だよ。君にも聞かせたいくらい明るいんだ。

死さえも笑い飛ばそうとする彼女の陽気さに今は救われている。僕が早く彼女の運命を理解し、その暗闇《くらやみ》を照らしだしてあげられる存在にならなくては。そう思う毎日だよ。

夏まっさかりの函館のにぎわいとは少し離れたところで僕はなんとか頑張っているよ。これからね、また病院なんだ。この手紙を書いたため、五分の遅刻覚悟で大急ぎ。かなり字が乱れていると思うけど、乱筆乱文お許しください。この生活にもう少しなれたならまた長い手紙を書くね。体と心を大切に。基。

八月十五日

追伸　保育園を辞めた君がこれからどこへ向かうのか、とにかく大切な時期だと思うから結論を急いで出そうとはしないでね。君が早く昼間の仕事に復帰する日を心から祈ってる。夜の仕事、気をつけて、決して自分を見放さないで。自分を安売りしないように。最後は自分しか自分自身を守ってあげられる存在はいないんだから。

基次郎、基次郎、基次郎！

お返事ありがとう。とてもうれしかった。とてもとてもうれしかったよ。もう返事はこないだろうって諦《あきら》めていた。ポストの中にあなたからの手紙を発見した時、大げさだけどまだ生きていていいんだよって言われたような気分になった。

基次郎がいま大変な時だというのはわかったし、心のどこかでそうだろうとは思っていた。リリカは甘えてばかりで良くなかったなって反省している。基次郎はフキちゃんのことを大事に守って上げてください。リリカは一方的にモトに手紙を書きます。自分の本当の気持ちを伝えられる人がいるというだけで、それだけで、今の私には励みになるんだ。あなたの貴重な時間を割いて、時々目を通してもらえていると思うだけでも、私には十分、元気の素《もと》なんだ。ありがとう。

　フキちゃんのことについては私がどうのこうの言える問題ではないし、私なんかが、基次郎やフキちゃんを安易に励ますことはできない。ただ、彼女に負けないくらい私も精一杯生きなければと考えている。自分に甘えそうになると、会ったこともないフキちゃんのことを（そういえば基次郎にも会ったことがないんだな、不思議……）、病魔と必死で闘っている彼女の姿を想像して自分も頑張ろうと思うようにしている。

　とりいそぎ、お礼の気持ちをこめて、返事を送ります。これから夜の仕事なので、また明日にでもちゃんとした手紙を書き直して送ります。それでは。

八月十八日
李理香

こんにちは、基次郎

昨日出した手紙の続きです（いきなり本題がはじまるのだ）。

夜の仕事は正直きつい。お酒も飲めないので、おじさんたちの相手をしながら、アルコールやタバコの匂《にお》いにまみれては苦しくなる。朝、園庭を掃除していた時のすがすがしい気分を思い出す。垣根越しに受け取る時の子供たちの日向《ひなた》臭い匂いが忘れられない。子供たちといっしょに散歩した明るい緑道の木々の優しさが忘れられない。子供たちの寝顔や無邪気な笑い声や、会話が忘れられない。何もかも忘れられない。

昨日、お客さんに膝《ひざ》を触られて、思わず席を立ち、後で店長にすごく叱《しか》られてしまったの。早く保育園の昼間の健全な仕事を見つけ出して戻りたい。

でもね、そうだ、週末だけは昼間の仕事を見つけたんだ。どこでだと思う？　実はあの人の骨董《こっとう》屋でアルバイトを募集していたんだ。

基次郎からの返事がずっとこなかったでしょ。保育園を辞めて、誰とも口をきかない日がずっと続いて、ちょっとさびしくなってしまって、あの人を見にいってもどうにもならないのはわかっているし、私は確かにあの人を憎んでいるんだけど、でも体はそっちへと向いてしまったの。ただ様子を見にいっただけだったんだけど、どんな顔で日中は仕事をしているんだろうって思っただけだったんだけどね。ガラス越しにこっそりと中を覗《のぞ》き込んだら、ふと目があってしまった。慌《あわ》ててそらしたんだけど、そこにアルバイト募集の張り紙が貼《は》ってあったというわけ。

　向こうは私のことは覚えていなかった。前に駅まで導いてもらった時は夜だったし、私は後ろをついていっただけだったから。でも、何か感じるものはあったようで、前にどこかで会ったことありましたか、と聞かれた。小さく首をふって、それを否定し、差し出された履歴書のようなものの空欄を埋めた。不思議なことに、何もかもがだれかに仕組まれているような手早さでサッサと手ぎわよく事が運んでいったんだ。

　翌週からさっそくアルバイトがはじまった。私は店番のようなことをすることになるの。店には他に人がいなくて、配達もあの人が一人でやっていたんだ。それまでは商品を届ける時はいつも店を閉めて出かけていたんだそう。お客さんなんかほとんどこない。だからいきなりあの人と二人っきりになってしまって、息が詰まりそうになる。

　想像できる？　自分を捨てた父親の下で働いているんだよ。向こうは私と血がつながっているとはわからないんだよ。異常な状態。かつて想像もしたことがない不思議な事態。

　私は悟られないように、こっそりあの人を見ている。じっとアンティーク家具の陰からのぞいている。この人が私の父親なのかって、すごく不思議なものを見るような目で見ているはず。最初は好奇心が勝っていたんだけど、次第に怒りの感情が芽生えてきて、それは私の心に復讐心《ふくしゅうしん》を生んで、一日中私は私を必死で維持しながら、乱れようとする心と戦っている。

自分が何をしようとしているのかわからなくて、ちょっと怖いんだ。また何かしでかしそうな気がして怖い。だって、あの人の後ろ姿をきっと私はものすごく怖い顔でにらみつけているはずだから。

自分の娘だとはわからないあの人は、私にとても優しく仕事を教えてくれる。それを素直に受け止めるふりをしながらも、私は心の中が煮えたぎっている。

古びた家具を一緒に磨きながら、あの人は私の生い立ちなんかを聞いてきた。私は悟られないように適当に嘘《うそ》をついてごまかしていたんだけど、お父さんは何をなさっているの、と聞かれた時は頭に血が昇って言葉が出てこなかった。黙っていると、余計なことを聞いたかな、と言いながら顔をのぞき込んできて、すまなかったね、とあやまられた。何もかも腹が立つ。頭も精神もおかしくなってしまいそう。いったい自分は何をしようとしているんだろう。

また手紙を書きます。今日はこれから夜の仕事です。自分を殺して、何も考えないようにしてお酒をお客さんについてきます。

八月十九日
遠野李理香

追伸　夜の仕事先でテレビの脚本家をしている人と仲良くなりました。

前略
晩夏の東京はすごく寝苦しいよ。何度も寝返りを打ちながら、暑さと戦っている。クーラーというものがあるんだけれど、電気代も馬鹿《ばか》にならないので、窓を開けて寝ている。仕事から戻ると、もう銭湯は終わっている時間なので、タオルを濡《ぬ》らしてそれで体をふいている。タバコの匂いはなかなか消えない。
そうだ、あの人のお店、辞めました。早いでしょ、実質四日間しか働かなかった。

実は、またとても苦しい事態になっているんだ。こんなことを話していいものかわからないけれど、他に話せる相手もいなくて（未明とも保育園を辞めたとたん、縁が薄れてしまって、結局友だちらしい友だちもいなくて、また基次郎に頼ってしまうことになる）。ごめんなさい。

あの人のそばにいることで何かを感じたいと思っている自分がいやでしかたがなかった。だからきっとあんなことをしてしまったのだろう。

彼が大事そうに鳥籠《とりかご》を抱えて帰ってきた時、私はそこにいることがすでに耐えられなくなっていたんだ。近くに住む中国大使館の人から譲り受けたという清《しん》の時代の鳥籠をそれは大切そうに抱えているあの人に我慢ならなかった。

「いいかい、これはね、百二十年も前の鳥籠でね、みてごらん、この木の固さといい、このデザインといい、どこもすばらしい。これがただで手に入ったんだよ。人には親切にしておくものだね」

あの人は何がそんなに嬉《うれ》しいのか、満面に笑みを浮かべてそう言うのよ。自分の子供よりも大事そうに抱えている鳥籠に私は嫉妬《しっと》した。

どうしてそんな顔ができるのって、あの人の微笑《ほほえ》みを見ながら私は怒りに心が震えたわ。私がどんな思いで一人さびしく生きてきたのかわかっているのか。私がどんなに苦しい青春を送ってきたのかあなたにはわからないでしょうって、心の中で叫んでいた。

　鳥籠なんかどうでもいいじゃない。自分の娘よりも鳥籠の方が大事なの？

　私は鳥籠の中の鳥はどこへ行ったんでしょうねって質問をした。あの人は、えっ、と言って私を振り返った。鳥籠の中の鳥だって？　さあ、死んだんじゃないかな、それかどこかへ飛んで行ったか。私の質問に適当に答えるあの人がまた許せなかった。だからあの人が鳥籠から少し離れた隙《すき》にそれをつかんで高々と持ち上げた。発作のような怒りによって。あの人は気配を察知して見返り、顔が不意にこわばった。私はその時の一秒一秒が今でも目にしっかりと焼きついているよ。あの人が本性を見せる瞬間の空気の流れを覚えている。私はそれを力まかせに地面に叩《たた》きつけたんだ。鈍い音がしてその次の瞬間、何をする、とあの人は怒鳴り、私を突き飛ばした。私はよろけてそのまま後ろのアンティークのソファの上に転がったの。鳥籠は見事に壊れた。もう鳥籠だとは見分けがつかないほどにぐしゃりと歪《ゆが》んでいた。取れた部品を必死でかき集める姿を、いい気味だと思った。地面をはいずり回るその姿の中にあの人の本性を見た気がしたよ。

　あの人はしばらくして私を振り返った。そして顔を真っ赤にしたまま立ち上がると、なんてことするんだ、と怒鳴ったの。私は小さく、お父さん、と言ってみた。聞こえなかったのね、どうしてこんなことするんだってもう一度あの人は叫んだ。今にも飛びかかってきそうな真っ赤な顔で。

私はもう一度、お父さん、いいじゃない、鳥籠の一つや二つ、とつぶやいた。あの人の顔が動かなくなって、それから、記憶の井戸の中を必死でのぞき込むような顔をしたの。しばらくして眉間《みけん》に無数のしわが走った。何かを思い出したようだった。お父さん、いいでしょ、たかだか鳥籠くらい。そうはっきりと言って、あの人をにらみつけていたの。あの人の唇はわなわなと震えだし、それから目が飛び出るくらい大きく見開いて、お前、とうなった。

もう一度、お前は、とあの人は言ったきり、その口は動かなくなってしまった。私は身体《からだ》中の毛穴が閉じてしまったのか、呼吸が苦しくなって、思わず口で呼吸をはじめたほど。気絶しそうなくらい視界が狭まって、そこにあの人の顔だけがあった。

どうしてお父さんは幸せなの、と言ってみた。どうして私は不幸なのかな。どうして私はみじめな人生を生きているんだろうねって聞いてみた。どうしてお父さんは新しい家族に囲まれて幸せなのに、捨てられた私はゴミのように貧しくみじめに生きているんだろうね。私はいらない子供なの？

私たちはしばらく見つめ合っていたけれど、私の心臓が小さな肋骨《ろっこつ》を激しく叩くものだから我慢できなくなって、思わずそこを飛び出してしまったの。私は走った。とにかくもうそこにはいられなかった。

私はあの人に対して何がしたかったのだろう。復讐かな。捨てられた恨みをはらしたかったのかな。後悔させたかったのか、反省させたかったのか。それとも、まだどこかに自分の存在をあの人が覚えてくれているのか、試したかったのだろうか。ふりむかせたかったのかな。ここにいるよ、ここでヒッソリと生きているあなたの子供がいるよって伝えたかったのかな。

また手紙書くね。看病大変でしょうけど、ご自身のお身体も大切に。　草々

八月三十日

遠野李理香

長沢基次郎様
　こんにちは、基次郎。

私、生きているのが不思議なくらいの毎日にいる。今日、お店で知り合った脚本家という人の誘いを受けて、店の外で会っちゃった。前の手紙に少し書いていた人。二十歳くらい年上のおじさんなんだけど、温厚で品があって、それでいて知性的で、理想の父親っぽい雰囲気を持った人。いい感じで歳《とし》を重ねて生きてきたんだろうなっていう優しさに満ちた人。他の男性客のような下品さがなく、さりげなくて、どこかクールな目を持っている人。木場さんのように若くない、安定感のある人。

　生まれて初めてフランス料理のお店に連れていってもらったの。正直に、自分はずっと施設で育ったのでこういう店には来たことがなく、マナーとかわからないんです、と告げたら、すまなそうな顔をしていろいろと、つまりマナーを教えてくれた。まるで父親のように。

　まさかその時はその人と夜を共にするとは思ってはいなかった。でもそうなる予感はあったかな。そうなる前触れというものもあった。まず前触れについて少し話すね。

　前日の夕方、あの人（血のつながった父親のことです）が私のアパートにやって来たの。鳥籠を壊して数日が過ぎていた。驚いた。履歴書に書いた住所がいけなかった。適当な住所を書いておけばよかったのにね。ノックの音がして出てみると、そこにあの人が立っていた。話がしたいというので、近くの喫茶店まで出かけることになるの。

茶沢通りの薄暗い喫茶店で二人は向かい合った。話すことなんかあるわけないでしょ。あの人はとにかく、すまなかった、とそればっかり。他に言うことはないのかってくらい謝りつづけていた。私はあの人の頭に向かって、苦しかった日々の記憶を全《すべ》て洗いざらい話してやった。児童養護施設で受けた虐待《ぎゃくたい》のことや、誰のことも信じることができず生きてきたこの半生、愛という言葉を呪《のろ》っているこの性格について。そして自分だけがヌクヌクと生きていること、幸せな家族を自分だけが持っていることを私は激しく批判した。どうして私を迎えにこられなかったのかって聞いた時、あの人が涙を見せた。あの人はそれには答えなかった。私はやっぱり見捨てられたんだって思った。

でもお前のことを片時も忘れたことがない、一生かかってもつぐないはしたい、とあの人は泣いて訴えた。偽善者めって、私は思った。口ではなんとでも言える。でも人の命をそまつにした罪は重いよ。どんな言い訳もつぐないもいまさら焼け石に水でしかないんだ。

私の人生を台無しにしてくれたあの人への憎しみの方が強かった。

そんなにつぐないがしたいのなら、いますぐに死んでくれ、と言った。私が味わった悲しみをあなたの家族に味わわせてやりたいと言った。するとね、その人、いっそうなだれて大声で泣きだしたの。その泣き声にまた我慢がならなかった。泣いてすむなら警察はいらないんだよ。

私は冷えたコーヒーを他の客たちが見ている前で、あの人のうなだれた頭にかけた。コーヒーが全てあの人の頭にかかると、次に私のオレンジジュースを。そして置いてあった砂糖とソースも頭に全てかけてやった。あの人はその間、ただただうなだれたままそれらを受け入れていた。周囲の客がかたずをのんで見ている。ウェイターもどうしていいのかわからず、立ったままぽかんと私たちを見ていた。

あの人の肩が大きく左右に激しく揺れていた。泣け、泣け、もっと泣け。自分がおかした罪の重さを知ればいいんだ。

脚本家の人に誘われたのはその翌日のことで、溺《おぼ》れかけていた私は何かにすがる思いでその人の誘いに乗ったの。普通だったら断っていたと思う。いや、どうだろう、携帯の番号まで教えていたのだから、最初からその脚本家の人に泣きつきたかったのかもしれない。友だちもいない、ましてや家族もいない私でしょ。誰かに優しくされたいと思う気持ちもあるよね。あってもいいでしょ。いいの、私の人生なんだから、もう好き勝手に生きる。

フランス料理を食べてから、ホテルの最上階のラウンジでお酒を飲んだ。普段あまり飲まない私だけれど、その日はすすめられるままにカクテルを飲んだ。酔いが全身に行き渡り、世界がぼんやりとまどろんだ。店を出ることになって、脚本家の人がレジで財布を取り出した時、ポケットから一枚の写真がこぼれ落ち、ひらひらと宙を舞ったの。しゃがんで拾い上げると、それは家族の写真だった。娘さんと奥さんと三人で仲むつまじく写った写真だった。脚本家の人は小学生くらいの娘に頬ずりしていた。うらやましかった。そうしてもらえるその少女がとてもうらやましかった。

脚本家の人が私から写真を奪うようにして取り、見られてはまずいものでも隠すようにそそくさとそれをポケットにしまい込んだ時、私はこの人の中にある父性の香りをかぎたいと思ったの。

ホテルのエレベーターホールで後ろから抱きしめられた時、私は抵抗をしなかった。最初から彼はそうするつもりだったみたい。気がつくと、だだっぴろい部屋の大きな大きなベッドの上で私は彼に抱きしめられていた。アルコールと憎しみのせいで、ふらふらとしたまま私はその救命浮輪にしがみついた。脚本家の人の太い腕にしがみついていた私。抱きしめられることで、苦しみを消そうとしていた私。私は大海で溺れかかった漂流者だった。

何もかもが終わると、脚本家の人は木場さんと同じように私を優しく抱きしめてくれた。私はその人の胸に顔を押しつけ、傷《いた》んだ心を癒《いや》した。

また手紙を書きます。今回は支離滅裂になってしまってごめんなさい。

九月四日

李理香

前略

夏の間は観光客が多くて、とにかく大変忙しかったんだ。何度か書きかけた手紙があったけれど、最後まで書けなくて、そうこうしているうちに九月になってしまって、季節が変わるともうそれらは時代遅れの古い日記の一ページのようになってしまって、どれも結局投函《とうかん》できなかった。

函館はこれから僕が一番好きな季節へと入るんだよ。夏のにぎわいが去って、ちょっと切ない秋のはじまり。山頂駅から眺める秋空は本当にきれいなんだ。砂州の上にできた小さな函館の町が青空の下、まるでおもちゃの町のように見える。木々が次第に色づいてきて、流れる風とか海の色とかにもちょっとずつ変化が起きる。冬までの間毎日のように木々のいろどりが刻々と移りゆく様は本当にきれいだよ。

そういう美しい景色を、悩んでいる君に見せてあげたい。君は少し、どこでもいいから旅に出たらどうだろう。函館だけではなく、日本にはまだまだ美しいところはいっぱいあるよ。南の方へ行くのもいいだろう。九州とか四国とかもいい。そんな遠くにいかないまでも、関東だったら近くにいい温泉があるだろ。電車に乗って温泉につかりに出かけてごらん。旅をして心の疲れをとった方がいいように思う。今の君を慰めることができるのは自然の力だけだと思う。美しい秋の景色を一人でぼんやりと眺めにいってごらん。さわやかな秋の風に頬をさらして、おいしい空気をおなかいっぱい吸うんだ。そして気分を変えてみてはどうかな。

復讐心《ふくしゅうしん》というものほど辛《つら》い感情はない。君がいま、復讐心によって動かされているのを想像して僕は苦しい。人間は復讐をするために生まれてきたわけではないよ。君は幸福になるために生まれてきたんじゃないだろうか。復讐をして、君が幸せだと感じることは絶対にない。むしろ、自分の醜い部分を知っていやになるだけだ。君がどんなに苦しくても君は人間を憎んではダメだ。許せる人になってほしい。相手を許せる時、君はもっと豊かな人生を手に入れることができるはずだから。

フキちゃんとはどうにかうまくやっているよ。もっともうまくやるといっても僕らには出口が見えているわけだからお互い、お互いの悲しみと折り合いをつけているというような日々ではある。幸福だと感じる前に、必ず来る別れのことを想像してしまい、その限定された未来の中でうまくやろうとしているといった具合かな。

フキちゃんとは時間の許すかぎり話をしているんだけれど、難しいのはその話題が未来のことへ向かわないようにすることかな。最近気がついたことだけど、人間はいつも未来について語っているんだよね、たとえばこの先どうなるのかという話題。就職とか、結婚とか、出産とか、老後とか、そういう話題について話していることが多いんだよね。でも僕らは絶対に未来については語れないんだ。過去のことだけを語る。思い出の中でだけ生きているんだ。これはかなりつらい。話題が広がらないから、すぐに行き詰まってしまう。でもフキちゃんを悲しませたくないから」なんとか盛り上げたいと思うから、精一杯明るい話題を探して、彼女の記憶の中の一番楽しかった日の思い出とかをいっしょに語り合ったりしているんだ。それがね、聞き出すのにずいぶんと時間がかかったんだけど、フキちゃんの思い出の中で一番楽しかったことというのはね、どうも前の彼氏と仲がよかった頃の思い出らしくて、それにはちょっと抵抗というのか嫉妬《しっと》をした。でも、悩んでいる時間というのはないからさ、もちろんそのことについても話をしたよ。とにかく今はフキちゃんが思い出したい出来事をいっしょになってまるで彼女の家族のような立場で聞いてあげている。嫉妬をする間もない。だって、もうこの世からいなくなっちゃうわけだからさ、そう、いなくなっちゃう（どういうことだ！　いなくなるって、存在しないって、いったいどういうことだろう）。

彼女もわかっているからつらいんだろう。昨日、はじめて彼女が荒れる姿を見たよ。彼女のお母さんが何気なく言った一言に敏感に反応したんだ。お母さんも悪気があった訳ではなかったとは思うけど、もし元気だったら基次郎さんと結婚していたかもね、と言ってしまったんだ。ちょっと変わったお母さんでね、考える前に口に出してしまうタイプの人。普段おとなしいフキちゃんが、大声を張り上げた。それはまるで最後の力を振り絞るような大きな声だったんだよ。

病室の外にまでその声は響いて、看護婦さんが飛び込んできたくらいだからね。筋肉をコントロールできない彼女が、動く部分だけ必死に動かして暴れたものだから、結局お医者さんに鎮静剤を打たれてしまった。お母さんはベッドの周りを右往左往していたけど、何を見てもつらいだけだった。僕もフキちゃんが元気ならば、いっしょになりたかった。彼女を看病していく中で、どんどん彼女のことを好きになっている自分に気がついていくんだ。でも好きになればなるほどに、どうすることもできない自分の無力さに落ち込むばかり……。

人間にはなぜ、こういう不平等があるんだろうね。毎日世界中で四万人の子供たちが餓死しているらしい。この文明の進んだ現代においてだよ。日本は世界一長寿の国になった。男は七十七歳で女は八十四歳まで生きる国になった。でも中央アフリカの内戦が続く一部の国の平均寿命はなんと二十五歳なんだよ。その国では、男も女も二十五歳でみんな死んでいくんだ。二十五歳で仲間や友だちや家族が次々に死んでいく世界というのがまだこの世に存在しているというんだから、この貧富の差とはなんだろう。

看病の生活の中にいると、世界が少し違って見える。生と死というものがどういうものかいろいろと考えさせられる。生きている間だけが全てだと思っていたけれど、今は少しだけ違うのではないかと思うようにもなってきた。出会いというものについても、いろいろなことを考える。フキちゃんと出会ったおかげで、僕は人間の一生の意味を再考することができている。これから彼女の死を見つめなければならない僕が、その別れを通していったい何を学ぶことができるのかはわからない。ただ、こういう運命を与えられたのだから、何か意味があるのだろうと考えている。それに気がつくことができたらいいな、とも思う。それがフキちゃんを僕の記憶の中で生かしつづけることではないかと考えるからだ。限りある生の中で、限りない人生を生きてみたい。フキちゃんの限りある生の中に、フキちゃんに限りない人生を感じさせてあげたい。それが何か、どういう方法によるものか、僕にはまだわからない。でもいつかきっとわかる時が来るのではないかと考えている。

僕は朝が来ることさえ奇跡だと思うことがあるよ。みんなは普通に生きている限り、明日は必ず来るものだと信じている。でも宇宙なんてどんな気まぐれで消えてなくなるのかわからないわけで、明日だって必ず来るとは限らないんだ。ノキちゃんは、それをいつも怯《おび》えて過ごしている。ある日、ふっと心臓の動きが停止するかもしれないことを知っているから。そうではなくとも、やせ衰えていく肉体の動きがいつかは止まるということを知って生きているのだから。

僕は明日に期待をかけることをいつしかやめてしまった。むしろ大切なのは今だと思うようになった。もしも永遠の現在というものがあるなら、フキちゃんと別れることはないわけだから。僕は永遠の現在の中に彼女を封印してしまっておきたい。そして、この看病の日々が一生続いても、彼女のそばで過ごしたい。でもそれはきっと無理だろう。だから僕は今を精一杯生きて、彼女の全てを記憶しようとしている。彼女は僕が生きている限り、僕の記憶の中で生きていくんだ。僕が生きている限り、彼女は死なないということになる。

仕事をしていながらも、四六時中、僕は彼女のことを考えている。彼女をどうやったら幸せにしてあげられるのかという呆《あき》れるほど馬鹿《ばか》げたことを考えている。

九月十日

基次郎拝

遠野李理香様

追伸 山頂駅の上が展望台になっていて、そこから君のために写真を撮った。澄み渡る秋空の写真を。それを同封しておくね。つらくて、もうダメだという時には、この写真を見てほしい。成層圏が生き物を守ってくれている証《あかし》が青空だと思う。地球が青い限り、生き物はここで生きていくことを許されているんだと思う。逆を言えば、宇宙の孤独から、この地球は何者かの力によって生かされ守られているんだということ。青空は宇宙と地球の境目でしょ。青空に地球は守られている。さびしい時は空を見てください。そこに空がある限り、リリカも誰かにいつも見守られ、守られているのだということになります。大きな心と強い気持ちを持ってその苦悩を乗り越えてください。ベートーヴェンの言葉ですごく好きな言葉があります。それは、困難を乗り越えて歓喜に至れ、というものです。

旅に出てごらん、大きく気分を変えるための旅に。変えようと思わないと何も変わらない。だから行動が必要になる。いますぐ、何も考えずに旅に出てごらん。きっと何かと出会えるはずだから。

前略

前の手紙をポストに入れたとたん、言い忘れていたことを思い出して、あわてて家に戻ってこの手紙を書いているよ。だからきっと前の手紙と同じ日にこれが着くと思う。でもこちらが第二便なので、後で読んでね。

旅に出たらいいよ、という話のつづきです。

先日、僕はロープウェイ山頂駅の宿直になって、山の頂上の宿舎に泊まったの。その夜はどんなことをしても眠れなくて(当然、フキちゃんとの未来のことを考えてしまうせいでね)、しかたがないので散歩をした。

函館山の誰もいない真っ暗な山の中を細い山道沿いに歩いていくと、ちょうど山の裏側に大きな野原が広がっていて、千畳敷きと呼ばれるだだっぴろい原っぱなんだけど、どれくらい広いのかな、ちょっとした野球場くらいはあるんじゃないかな、昔はよく遠足に学生たちが登って来ていたんだけど、最近は危険だからと禁止されていて、その千畳敷きの先は崖《がけ》になっていて、その真下は海流の速い津軽海峡。でもね、とにかく不思議な場所なんだよね、正面から函館山を見ている限りは裏側にこんなに大きな野原があるなんてだれも想像しない、だから実際にそこに足を踏み入れると、なんだろう、もうすごいとしか言えないけどさ、別世界へ迷い込んだような気分になるんだ。灯なんて人工のものは何もないのに、月明かりだけで十分野原が見渡せる。膝《ひざ》ぐらいの草が風になびいて、野原が生きているみたいでさ。さわさわと風の音が心地よく届くんだ。誰もいないせいで、ふと、死後の世界ってこんなところかな、とも想像してしまう。でも、暗くて人の気配がないのに不思議と怖くないんだよね。

草原を歩いてみると、まるで夢の中を歩いているような不思議な感覚。気がつくと草原の真ん中に僕一人立ってた。周囲を見渡すと、穏やかな暗闇《くらやみ》の先で草木が静かに揺れていた。まるで宇宙の中心に立ったような錯覚が起きて、めまいに襲われたよ。

思い切ってそこに大の字になって寝ころんでみた。そしたら驚いたな。すごい数の星なんだもの。灯が周りにないせいで、空気も新鮮だから、星をさえぎるものが何もない。満天の星空ってあのことを言うんだな。きれいだったなぁ。空いっぱいの星。北海道に住んでいながら、こんなにすごい星空を見たのははじめてだった。星の密度が異常に高い場所があって、まるでそれが天を流れる川のようでさ、その時僕はふっと、これが天の川なんだって気がついたんだ。

感無量でした。こんなすごい星空を眺めることができたことを神様に感謝したよ。

リリカは満天の星空って見たことある？　都会にいたら絶対に見ることはできないね。灯が周りにない場所へ行かなければ。空をさえぎるものが何もない場所へ行かなければば。

その時僕は全《すべ》てがわかったような気がした。人間って何か。でも、明確な言葉では説明できなかった。言葉なんて必要がない、と教えられたような感じ。僕はその時意味を追い求めなかった。ただ、人間はこの広大な宇宙の中に生きている小さな存在なのだ、ということだけ、気がついちゃった。

それで十分じゃない。そう気がついたら、不思議なことにせいせいした。楽になりました。あらゆることを許そうと思った。みんなと仲良くしなきゃって思った。できるだけたくさんの人と出会って握手をしたいと思ったよ。涙も出てきた。悲しみの涙ではなく、自分がこうして生きていられることへの感謝のしずく、とでもいうのかな。よく宇宙から帰還した飛行士が農業をはじめたり、伝道師になったりするでしょ。わかる気がした。

だからね、言いたいのは、李理香、星を見に出かけてください、ということ。星は、遠い遠い距離を超えてキミに何かを伝えるために輝いているのだから。

基次郎拝

基次郎さま
今どこにいると思う。消印を見てみて、早く。そう、沖縄にいます。たった今、那《な》覇《は》空港についたところ。あなたからの手紙を読んだせいもあるんだろうけど、星に乗って宇宙を飛んで行く夢を見たんだ。で、かな。朝目が覚めたら、沖縄だって思いついて、そのまままっすぐ空港に出かけて行って、そしたらちょうど席が一つ空いていて、気がついたら那覇空港。はやい。
仕事は適当な口実をつけて休んでしまった。いいんだ、あんな仕事、どうせいつかは辞めるつもりだったから。うん、きっとじきにやめると思う。
最初の葉書は空港のポストに投函《とうかん》します。星を見るための旅のはじまりです。ホテルの予約なんか全くしないで来てしまったので、最初にやったのは宿探し。ガイドブックに載っている可愛《かわい》らしいペンションへ電話をいれたところ、空き部屋があるとのこと、そこに泊まることにしたよ。そこまで空港からバスで二時間もかかるけど、星を見るには最適な場所のはず。

とにかく無事に旅行できるように祈っていてね。それでは、星を見る旅に出発！

九月十八日

李理香拝

親愛なるモトへ

たった今、ペンションについたよ。ガイドブックに書いてあるような可愛らしいペンションではなかったけど、でも奥さんと旦那《だんな》さんがとても感じのいい人たちで、気に入った。沖縄の人ってどうしてあんなに優しい笑顔ができるのかな。なんでも沖縄は日本一の長寿の県なんだって。この陽気と食べ物のせいらしいけど、自然な笑顔は都会人がすっかり忘れてしまったもの。いいんだよね。

これから海に行ってくるね。海岸までは結構歩くんだけど、山道をゆっくりと下りてたどり着いた海岸に私はいったい何を思うのか、と考えるだけで、もうわくわく。

沖縄通信、次号お楽しみに。

りりか

親愛なる親愛なるモト
わおー、って感じ。すごいの、本当にすごい海。きれい。エメラルドグリーンの海ってはじめて。すごい。すごい。本当にすごい。生きてて良かった。

李理香

基次郎様
前の葉書は支離滅裂だったけど、あれが私の感動を端的に表現したものだから許してね。いままで見てきた海とは全然違って、本当にきれいな海なんだもん。
どうしてあんなに、こちらの存在が恥ずかしくなるほどの美しい海が存在するの。
歩いたタイガービーチというのは地元の人たちが海水浴でよく利用するビーチらしい

けど、そこはもう日本ではなかった。不思議な空と海の色、それがどこらへんでまざり合っているのか全くわからないような水平線の神秘的なせめぎあい。

旅行会社を頼らずこうやって旅をするのは生まれてはじめてなんだけど、有名な場所なんか回らなくても感動ってこんなところにあるものなのね。一人旅って楽しい。

この感動をこうして葉書で函館にいる（信じられないけど、あなたは日本の北の町にいて私は南の町にいる）まだ一度も会ったことのない基次郎に届けられることにも感動。生きてて良かった。本当にこの歓びを誰に感謝したらいいのかしらね。ベートーヴェンの言葉、大事にしているよ。困難を乗り越えて歓喜に至れ、か。わかる。

今夜、夕食後またタイガービーチまで歩いて、そこで念願の星を見るつもり。この嬉《うれ》しさ、基次郎のもとへ伝わっていますか？

九月二十日
遠野李理香拝

親愛なる長沢基次郎さま

見てきた。星空を。今、ペンションのロビーでこの葉書を書いてるけど、心は軽くなって、なんと表現したらいいの、生まれ変わったと言ったら大げさ？　でもそれほど大きな衝撃を受けたよ。どうして、私ったら星空を見ないで今日まで生きてきてしまったのかしら。こんなに意味を伝えてくる宇宙が頭上にあるのに、全く無視して毎日過ごしていたことに驚く。文明って生きることをどこかで侮辱しているような、そんな感じがした。

もっと旅をしなきゃ。上を向いて歩かなきゃ。もっと旅をして未知の世界に触れなければ。星に私が教わったことは、そのことだった。

少し落ちついたらもっと上手にこの感動を言葉にできるだろうけど、今はただこの震えた字を見て、興奮を想像してね。私に星を見ることをすすめてくれた基次郎に感謝。

りりか

基次郎、基次郎、基次郎！

さっきペンションをチェックアウトしてこの葉書はバスの中で揺られながら書いている。朝、旅館ガイドをめくって、今日泊まる宿を探した。電話をして予約を入れて、今はそこへ向かっているの。明日はどこに泊まるのかもまだ決まってない。帰りの飛行機もまだ予約してない。今夜の宿のことだけを考えて旅するのって素敵！

バスは今、とうきび畑の中を走っているの。右も左も一面とうきび。都会だったら、このままどこへ行くのかと不安になるところなんだろうけど、ここではなぜか不安はおきません。

リリカより

親愛なる長沢基次郎さま

夕日をずっと眺めてた。太陽が海や空を真っ赤に染めて沈んでいくのを、砂浜にしゃがんで座ってじっと見つめていた。もうすぐ日が暮れてしまう。また一日が終わる。一日の終わりをこうやって実感しながら生活したことはない。さよなら、と言葉にしてみた。また明日会おうね、と手を振っていた。人間って何だろう、という旅のはじまりだったけど、理屈はいらないことに気がついた。

李理香

PS　基次郎に感謝してます。あなたにもこの安らぎを少し分けてあげたい。無理しないで、がんばらないでください。

モトへ

夕食はゴーヤーチャンプルという野菜炒《いた》めだったよ。こっちの料理はなに食べても健康の味がする。苦いものは苦くて、甘いものは甘くて、食べ物がどれも生きてる。食後また星を見に出かけた。下北沢にいる時は星なんか見たことがなかった。だいたいビルが空を隠しているし、空気が汚れているから星なんてまるで見えない。空をずっと長いこと無視していた。なんだかむなしい生活だった。しかたがないことだけど、コンクリートで固められた生活の中で私はいったい何を見つけ出そうとしていたのかしら。
沖縄にいると、当たり前のことが見えてくる。だから沖縄の人は長寿なんだね。こんな環境で、ゆったりと生きていたら長生きして当たり前。光がちゃんと光っているんだもの。

リリカ

基次郎様
これから出発。毎日生まれ変わっていくような気分。

李理香

親愛なる基次郎様
なんだかだんだん私の体内時計が沖縄の時間に慣れてきて、何もかもがゆっくりと動いていくような感じになってしまった。夜もぐっすりと眠れて、朝も穏やかに目覚めて、前の日のストレスがないせいか、すっきり。人間らしい生活ってこのことを言うのね。つい数日前まで自分が送っていた日常がここにはありません。私はこのままここに居座って、ここの人になりたいと思いはじめた。そんなことは無理だとわかっているんだけどね……。

李理香

基次郎さま

昨日お世話になった宿のご主人が私にこう言ったの。苦しいことなんて本当は存在しないんだよって。どういう意味ですか、と聞き返すと、ご主人は笑って、つまりは心の持ちようなんだって。まるで基次郎に会ったみたいな気持ちになった、そのご主人はもう五十歳なんだけどね。

「お嬢さん、苦しみが現実にはこの世に存在しないものだと想像してみてごらん。そうすればいつしかあなたの中から苦しみは消え去って、全《すべ》てが喜びに変わるはずだから」

宿を去る時、もう一度そんな風なことを言われた。玄関をくぐって外の光にさらされたとたん、何だか大げさだけど全てがわかったような気がした。沖縄の空気を思いっきり吸い込むと、肺がそこにあることに気がついたの。私は生きている。もっと新鮮な空気を吸いたい。生きていることにゆっくりとひたりたい。

李理香より

親愛なるモトさま

旅に出て、五日。でももう何週間も何ヵ月間も旅行をしているみたい。ついに宿の予約もしなくなったよ。行き当たりばったりで、あと数日旅してから東京に戻る。でも、足取りはここに来たときよりもずっとしっかりしているはず。旅を勧めてくれてありがとう。基次郎に勧められなかったら、こんな変化は得られなかったはず。生きていると本当にいろんなことがあるけれど、今は過去の全てを許せそうな気がするよ。

また今夜も星を見に出かけるね。基次郎はどんな星を見上げていることだろう。

リリカ

モトへ

忙しくなると、肺に空気を一杯送り込んで、自分の所在を確かめています。風通しをよくして、どんな人ともうまくやるこつのようなものを自然と体得していました。毎日人と会うことが楽しいです。みんな必死で生きているでしょ。旅をしてそれがよくわかるようになりました。

リリより、サンクス！　を込めて

前略

素晴らしい旅の便りありがとう。こちらもそれを読んでまるで一緒に旅をしているような感じになれたよ。街を出て、旅をしよう、という僕のメッセージ、それなりに役立ったようだね。良かった。

僕の方はあいかわらず仕事と看病のくりかえしの日々を生きています。すっかりこの生活にもなれてきたかな。ふしぎなのは、看病をしていながら、しだいに自分の方が(何か言い方が変だけれど)看病されているような、心のケアを受けているような気持ちがしてきたこと。これは説明がとてもむずかしいのだけれど、フキちゃんの気持ちを少しでも楽にしてあげたくて、毎日友だちの誘いもことわって(というのは、フキちゃんのことはロープウェイの仲間にはないしょにしているんだ。だから最近はつきあいが悪いぞってみんなに言われてこまってる。もっともみんないい奴《やつ》らなので、何かあるんだろうなって顔で僕をそっとしておいてはくれる)、そう、だから毎日の誘いもことわって、看病にあけくれていたわけだけれど、そのうち自分が看病を通して生というものの大切さを理解していくようになって、苦しいはずなのに、何か尊い時間の流れの中にいることに気がついていくというふしぎな現象をおぼえています。

死に向かうフキちゃんのそばにいると時間がとまっているような感じ。絶対この光景は一生忘れないんだろうなって思う。そうなんだ、こんなに一秒一秒を大事に思ったことはなかったもの。何に対してかはわからないけれど、とにかくすごく感謝している。残酷な日々にいるというのにへんなことだけれど、この一秒が与えられていることに感謝せずにはいられないんだ。彼女がまだ生きているわけでしょ、だからその間、自分にはやらなければならないことがたくさんあるわけで、最後の最後まで生をあきらめない蕗乃《ふきの》をサポートすることこそがいまの自分の役目なんだって思うようになった。かなり理解しにくいことだけど、今の自分の気持ちを伝えておきます。

旅か、いいよね。僕は前にも言ったけれど北海道から出たことがない。修学旅行の時も風邪をひいて参加できなかった。だから僕はこの函館のことしかあまり知らない。施設にいた頃に二度札幌に連れていってもらったことがある程度。旅行に行きたい。テレビとか写真とかではなく、この目で、世界を見てみたい。世界がどんなに大きいのかじっさいに歩いて感じてみたかった。東南アジアとか、南米とか、アフリカとか、海の向こうの異文化に触れてみたかったな。

李理香はもっと広い世界を見に出かけるべきだろうね。それができる環境にあるんだ。君は自由なんだから、翼があるんだから、ぜひいろんな世界があることを見て知ってほしい。そして僕に伝えてほしい。まだしばらくはここから出ることができない僕に代わって。

でもそんな僕もね、小さい頃、いつも枕元《まくらもと》に地球儀をおいて寝ていたんだ。世界中の首都を覚えるのがその頃の僕の夢でね、どんな人が生きているんだろうとか、どんな町があるんだろうとか、想像をたくましくして、遊んでいた。楽しかったよ。今思うととても楽しかった。

いつか、僕も旅に出ると思う。函館という砂州の町から出て、どこまでも果てのない旅に出るんだと思う。その時は僕も旅先から君に一通の手紙を送るだろう。

また時間を見つけて手紙を書くね、これからお見舞いに行かなければならないので。あいかわらずの乱筆お許しを。だんだん字が下手になっていくよね。ごめんなさい。

十月十日

長沢基次郎

遠野李理香様

追伸　お土産ありがとう。昨日、宅配便で受け取りました。うこんのお茶は母のお気に入りになりそう。そして僕はタイガービーチで拾ったという貝殻を机に飾ることにしました。

拝啓　基次郎さま

旅から戻ると、生々しいほどの現実が待っていました。何からどう話せばいいのか、今はちょっと気持ちがまとまりません。すぐに返事を書けなかったのも、またしても不意にやってきた神のいたずらのせい。いえ、身から出た錆《さび》のような現実のせい。

旅から戻って数日後、あの人の奥さんが私のアパートを訪ねてきたのです。深夜のことだったので、ちょっと驚いたのだけれど、なんでもあの人が交通事故にあったとか。その日の夕方、あの人は鳥籠《とりかご》を抱えて赤信号の交差点を渡ったらしいのです（鳥籠はきっとあの鳥籠だと思う。きっとあの人が直したんでしょう）。目撃していた人によると、あの人はうなだれて歩いていたんだそうで、自分からトラックに飛び込んでいくようにも見えたというのです。トラックにはねられて歩道に打ちつけられ、現在は大きな病院の集中治療室にいるとのこと。生死の境をさまよいながらも、時おり、うなされるように私の名前を呼ぶんだそうです。奥さんには私のことは打ち明けてあったらしく、奥さんは私があの人の娘だということを知っていました。もっと早く私たちに打ち明けてくれていたら、と奥さんは私の前で泣いていた。そういう過去があったということは今まで一度も聞かされていなかったけれど、あの人の性格上、かなり思いつめていたのは間違いない、と奥さんは言うの。きっとそのことを思いつめていたせいで、事故にあったのではないか、と。

あの人は私が喫茶店で、死んでつぐなって、と言った言葉を必死に受け止めようとしたんだと思う。そうなんです、だとしたら、私のせいということになる。

奥さんに、とにかく病院に来てほしい、あの人を救えるのはあなたしかいない、と言われ、何がなんだかわからないまま、心の整理もつかないまま、私は奥さんについて救急病院にいきました。集中治療室の入口で念入りに消毒をして中に入ったのはもう真夜中のこと。あの人は寝ていました。昏睡《こんすい》状態に近いとお医者さんの説明を受けました。今夜が山で、この峠を越えれば明日は持ち直す可能性がある、と言われたの。涙が出てきて、それをこらえることもできず、あの人の青白い、まるで死人のような顔をじっとのぞき込んでいたの。あの人の耳もとまで行き、私は、李理香です、とささやき声で呼んでみた。わずかな反応があったように思うけれど、すぐにお医者さんに背中を叩《たた》かれました。

ロビーにはあの人の息子と娘たちがいて、やはりうなだれていたの。私がこの人たちの幸福を奪ったんだと思うと、急に自分がしたことに後悔を覚え、いえ、そういう言葉では説明できないくらい苦しい思いをしたの。もう取り返しのつかないことを招いてしまったのだ、と考えると、自分がまるで悪魔のように思えました。

あの人の奥さんと子供たちといっしょに病院の廊下で朝を迎えました。誰も何も口にしないで、一晩を明かしたんです。朝になり、病院に少し活気がではじめた頃、お医者さんがやってきて、峠は越えた、と一言告げたんです。それは、おかしなことだけれど、私にとっては生まれてはじめて神や仏がいるのだ、ということがわかった瞬間でもありました。息子と娘が手を取り合って、良かった、良かった、と言って泣きだした。あの人の奥さんが、どうもご迷惑をおかけしました、と言い、私は恐縮して、頭を深々と下げることしかできなかったのです。

午後、病院を出て家路についたけれど、頭の中は真っ白で、これからどうしていいのか何も頭に線を結ぶことができなかった。ひたすらぼんやりとしたまま、私はアパートの自分の部屋に潜り込み、そのまま寝てしまいました。それからまる二日の間、私は部屋から出ることもできなかった。自分を呪《のろ》い、自分の存在を嫌いました。自分が生きているとみんなに迷惑をかけてしまうと思ったんです。ふっと死にたいと思った。高校の三年生の時と同じ気持ちだった。あんなに美しい星空を見てきたばかりなのに。

でも自殺はできなかった。自殺をするには生にひたりすぎてしまったのかもしれないし、何よりおそれを感じてならないのです。人を死の淵《ふち》へとおいやっておきながら、自分だけぬくぬくと生きているのだからおかしなものです。もうよくわからない。どうしていいのかよくわかりません。モト、私は生きていていいんでしょうか。このまま生きてていいの？　もっと大勢の人の幸福を奪ってしまいそうでこわい。助けてください。ああ、でもダメだ。あなたの幸福も奪ってしまうかもしれないんだから。私は不幸を呼ぶ女なのかもしれない。あなたにも迷惑をかけてしまう。あなたは今、とても大切な時期を生きているんだから、私のような女があなたの尊く美しい人生を邪魔することはゆるされないんだ。

十月二十日
李理香

長沢基次郎様

追伸　ごめんね、いつもこんな手紙になってしまって。あんなに素敵な沖縄の癒《いや》しの旅での成果も消え去り、また振り出しに戻ってしまった。いえ、振り出しどころかマイナス地点からのはじまり。リリカはここから抜け出すことができるのでしょうか。

遠野李理香拝

長沢基次郎さま

返事が戻ってこないので、心配してる。フキさんの具合はどう？　あの人を事故に追い込んだ馬鹿《ばか》なリリカに呆《あき》れて？　さすがにもう手紙を書けないと思ったの？

でも今は基次郎からの手紙が私には必要です。時間が本当に余った時でかまわない、返事をください。

# 5　心に棘《とげ》を生やしてるサボテン

長沢基次郎さま

モトからの手紙が途絶えてもうひと季節が過ぎようとしている。すっかり下北沢は冬の装《よそお》いに変わってしまったよ。きっとそっちは雪に包み込まれているに違いない。普通の手紙のやり取りならしばらく返事が来なくとも気にはならない。でも筆まめな基次郎から手紙がないと、心配だよ。あの人は快復に向かって今リハビリをはじめたよ。モトにばっかり頼っていてはいけないと、私、自分からあの人のリハビリを応援しているの。モトだったらこんな風にアドバイスしてくれるだろうと思って、自分の方からあの人に謝りに行った。そしてリハビリのお手伝いをさせてほしいと頼んだ。事故で片方の足がいうことをきかなくなっていたので、私は横について歩行訓練を手伝っています。あと、ちょっと頭を強く打ったせいで、言語をうまく操れない状態になっていて、それも時間がかかるけれど、リリカが話を聞く役目をしています。

まだお父さんとは言えないけれど、ほんの少しだけど気持ちが近くなっていることは確かです。あの人の息子さんたちとは、もう少し打ち解け、仲良くなりました。もっとも私の本性が本当に心を許しているのかどうかはわからないけれど、でも彼らには罪もなく、しかも私とは比べものにならないほどに純粋な子たちで、あの子たちと血がつながっているわけだし、なんとか彼らと仲良くなりたいと思ってます。奥さんはとてもいい人で、私に気をつかってくれる。この間、二人きりの時、こんなことを打ち明けられました。

「蓮井はね（蓮井とはあの人の名字です）、時々、ぽつんと庭で星を眺めていてね、どうしたの、と近づくと、あわてて涙をぬぐって、なんでもない、と言うの。きっとあなたのことを思い出して、どこでどう暮らしているのか心配していたんだと思う」

まだ素直にその言葉を受け止められないけれど、少しずつきっと受け止められるようになるんだと思う。あの人、本当にうらやましくなるくらい素直な、そして心優しい家族を持っていると思った。あの人をこんな目にあわせたのは私です、と正直に奥さんには言ったんだけど、彼女は優しく微笑《ほほえ》んで、それは違う、それはあの人の後悔の気持ちがそうさせたのだから、あなたのせいではないわ、と逆になぐさめられてしまったの。

自分が情けなくなるほど、あの人の家族は立派です。とにかく、李理香は李理香にできることは何か、と考え、今はひたすらあの人のリハビリのアシスタントをしています。

夜の仕事も今週いっぱいで辞めることにしたの。あそこに長くいるといつまでもあの世界から抜け出せないような気がしてきたし、少しはお金も溜《た》まったから、職安に通って、新しい保育園を探そうと考えているところ。新しい保育園に就職できたら、そこが自分の再出発の砦《とりで》になるのだから、気持ちを改めてガンバりたいと思います（ガンバってはダメなんだよね、つまり、自然体で挑むということです）。

だから基次郎、安心してね。私はなんとか乗り越えているから。基次郎がどうしているのか逆に心配しているんです。なんでもいいから、元気ではなくてもいいから（たまには李理香に励まさせてほしい）お手紙をください。たまにはあなたの力にもなりたい李理香でした。

きっと北海道は雪に包まれてすごく寒いことでしょう。どうかお体にだけは気をつけて、風邪などひかないように健康に注意してお過ごしください。

十二月五日
遠野李理香

ＰＳ　また旅に出たい。旅って新鮮です。毎日旅ができたらいいのにって思う。今度はどこへ行こうかしら。

親愛なる基次郎さま
部屋で育てていたサボテンが枯れた。まさか、サボテンを枯らすなんて。最低。それにしてもサボテンはほとんど水をあげなくてもいい植物のはずなのに、枯らしてしまうんだから、李理香の日常ってどんなに乾いているのかな。サボテンを枯らすほど無頓着《むとんちゃく》に生きているということなのかしら。気がつかないだけで、本当は周囲をちゃんと見ずに生きているということかしら。
そういえば少なくとももう三ヵ月近く水をあげてない。基次郎のせい。サボテンが枯れたのは半分は基次郎のせい。事故にあったのでなければ、どんな理由であるにせよ、返事をちょうだいよ。
何か問題が起こったのなら、頼りないかもしれないけど、今度は李理香に支えさせてほしい。いつも助けられてばかりいたので、今度は李理香が基次郎を支えてみせる。
返事、待ってるよ。

十二月十日
李理香

追伸　サボテンの心という歌をラジオで知りました。誰が歌っているのかわからないけれど、前にも流れていて好きだったので、あわてて録音したの。その歌詞を聞き取ったので最後にメモしとくね、これって私の歌なんだ。こんどＣＤ見つけたら送るね。

「砂漠の街で生きてる僕たちは、心に棘《とげ》を生やしてるサボテンの心。身を守るために生やした棘のせいで、大切な人たちを遠ざけてしまう。星が灯《とも》る空を見上げてサボテンは今日もひとり。冷たい月の光に包まれて明日を待ちつづけてる。砂漠のサボテンたちよ、花を咲かせてごらん。きっと誰かが君に声をかけてくる」

遠野李理香さま

長いこと、返事を出せなくて、ごめんなさい。

フキちゃんが十一月の半ばに今までで一番大きな手術を受けたので（のどを切開するというもので、この手術を受けるともう声がでなくなってしまう、その後は意思を伝え合うのが難しくなるので、二人で落ち込んでいたんです）、その間返事を出せなかった。本当に大変な手術で、一応無事に終わったけれど、彼女の声は永久に失われてしまった。今、彼女ののどに管が刺さっていて、それを彼女は僕に見られたくないみたい。もう彼女の肉体はすっかりやせ細っていて、骨の上になんとか皮膚がのっているという感じで、あまりにも痛々しい。

いままでのように会話はできなくなったので、メッセージボード（どんなものか説明は難しいけれど、絵とか文字が書いてあるパネルのこと）というものを駆使して意思を伝えようとしているけれど、いままでみたいに簡単に会話ができず、大変苦労しています。

それに手術後しばらくは、一日二十分と面会も限られていたから、返事を書く時間は十分あったはずなのに、なんと言うのか、それくらい容体が安定するまでに時間がかかったということで、とても便箋《びんせん》には向かえませんでした。人の生死というのは、日常をひっぱる、押さえ込む、締めつけてくる。蕗乃の青白い顔を一日二十分、薄暗い病室で見るたび、人を励ますことの難しさを感じていたよ。

返事が遅れて本当にすみませんでした。そして乱筆乱文ごめん。字がうまく書けない。感情が乱れているせいで。

十二月二十日

基次郎

PS 星に願いを。

親愛なる長沢基次郎さま

基次郎が大変な思いで看病をしていたというのに、基次郎からの返事がないことばかり気にしてしまい、恥ずかしい。でも、どうかこのわがままなペンフレンドを嫌わないで。本当に心から心配したの。フキちゃんのことを知り、今はよけいな助言や感傷的な励ましはつつしむべきだと自分に言い聞かせている。

あれほど力になりたいと手紙に書いていたくせに、圧倒的な現実には歯が立たない。

こんな時に誰よりもキミの力になりたいのに、無力な自分が情けない。看病をしながらも、どうか自分の体だけは大切にね。

遠野李理香

PS　静かな音楽を聞いてほしいと思い、私が編集したカセットテープを同封したよ。苦しい時や、眠れない時、いらだつ時に、聞くと楽になる。

曲目は、以下に記します。

A side
1 センチメンタル・ウォーク（映画「ディーバ」のサウンド・トラックより）
2 Ave Maria（SLAVA）
3 3つのジムノペディ（エリック・サティ）
4 月にゆれて（アリコ）
5 Allegro de concert, op.46（エルダー・ネボルシン）

B side
アンビエント1／ミュージック・フォー・エアポート（ブライアン・イーノ）

親愛なる遠野李理香さま
テープ、ありがとう。何よりの贈り物だった。ただ祈るだけの日々にいると、音楽が一番の救いになるね。人間はつまらないものをたくさん発明して、自然を破壊してきたけど、音楽だけはすばらしい発明だった。本当にすばらしい、と思う。心が素直にその時だけは美しい旋律に寄り添っていられるから。キミの選曲は、痛んでささくれだっていたボクの心には何よりのプレゼントだった。本当のペンフレンドだからこそ、心の穴をふさぐことができたんだ。感謝している。

蕗乃は少しずつではあるけどどね、その生命力のおかげで、また一時的にせよ安定へと向かっているんだ。どうなるのかと思ったけど、生命力とは不思議なもの。生きている彼女を見ていると、ボクに向かって微笑んでいる彼女を見ていると、頑張ろう、もう少し頑張ってみようという気になる。

キミが選曲してくれた美しい曲はどれもそんな僕を静かに、だけど確かに勇気づけてくれているよ。サンキュ。

まるでキミがすぐそばにいるよう。

十二月二十四日

甚次郎拝

追伸　長い手紙が書ける状態ではないので、短くてごめん。伝えたいことはたくさんあるのに、こういう精神状態だから、言葉がうまくまとまらない。おまけに字もこのとおり、ひどいでしょ。まるで電車の中で揺られながら書いているようだ。読みづらいだろうけど、我慢して読んでください。
そうか、今日はクリスマス・イブなんだね。どうりで通りがにぎやかだと思った。でも僕はお祭り気分にはなれない。去年はたしか手紙にクリスマスツリーの点火式のことを書いたよね。去年がなつかしい。

親愛なる長沢基次郎さま
カセット、喜んでもらえて嬉《うれ》しかった。基次郎の力になりたかった。リリカの選曲が今のモトの気持ちを少しでもやわらげることができたことを、素直に嬉しく思うよ。実はあなたに謝らなければならないことが一つある。白状しなければならないことが。

手紙が届かなくなって二月ほどが過ぎた頃、十二月の半ば、李理香は週末を利用して函館《はこだて》を訪ねてしまったの。冬景色（でも雪はまだ降っていなかったみたいです）の函館は生まれてはじめて訪れた北海道だった。

ずいぶんと迷いながら基次郎の家を探した。見知らぬ町をただキミのことだけを考えて歩いていた。沖縄の旅を経験したおかげで、一人だったけど心細くはなかった。それにここはモトの住んでいる町なんだからってずっと自分に言い聞かせていた。

生まれてはじめての函館は、とても不思議な町だった。行ったことはないけど、ずっと心の中で思い描いていた東欧の小さな田舎町に似てた。特にモトの家がある元町の周辺は歴史のある素敵なところだった。

安心してね。モトの顔を見ようと思って函館を訪ねたわけではないの。いても立ってもいられない、という言葉の通り、ただどうしようもなくて、函館を訪れただけなの。だからモトの家の呼び鈴を押すこともしなかった。

モトの家を遠くから眺めたことは眺めたけど、ワンブロックも離れた坂の下から基次郎の家のすぐ向かいにある教会越しに眺めたにすぎない。モトのお母様らしき人が、買い物籠《かご》をぶら下げて坂道をおりていくのを、急いで隠れた木陰から見ていた。

その方が不幸そうな顔をしていなかったので、モトの家を無理やり訪ねるのはやめることにしたの。もしもその時お母様が、いやお母様かどうかはわからないけれど、モトの家から出てきたその婦人が、少しでも不幸そうな顔を、悲痛な表情をしていたら、私は迷わずモトの家のドアをノックしていたはず。でもその方は冬の空をすずしげな目で見上げていたの。そのまなざしからは、モトの身に恐ろしいことが起こったとはどうしても思えなかった。だから、結局それで安心してしまい、ロープウェイ乗り場も訪ねなかった。函館山を上に下に行き来するロープウェイを山麓《さんろく》からじっと眺めただけ。

市内のホテルに一泊だけして、翌日、ベイエリアのレストランで魚料理を食べ、東京へと戻ったの。

基次郎の家へと登る坂道の左右に連なる、古びた歴史的な建築物に時々目をとめ、基次郎はこの坂道を登ったり下りたりして成長したのだな、と一人感慨にふけったにすぎなかった。

家を探したこと、勝手に函館を訪ねたことは謝るね。でも、それはただ一心、モトのことが心配だったから。本当よ、ごめんなさい。

十二月二十六日

遠野李理香

追伸　新しい仕事を本格的に探しはじめました。二つの保育園に面接に行ったけど、やっぱりいろいろ難しい。でも負けない。きっと理解してくれる園があると思う。明日もう一つ別のところに面接に行きます。

あと、あの人も随分と元気になりました。

この前、二人きりの時、あの人がこんなことを口にしたんです。言い訳は何もできない。生活が安定した後、お前を引き取りにいかなかった自分は人間として失格だ、とね。事情はどれも言い訳にしかならないので、ただ謝るしかできない、とね。私はそれに関しては何も返事はもどさなかった。ただ、いつも気にしていたんだ、ということがわかったのだから、それでいい、と思った。もうそろそろ許してあげようって、なぜかその時思いました。あんなに憎んでいたのに、不思議です。

親愛なる李理香さま

驚いた。僕が蕗乃のことであたふたしている間に君が函館に来てただなんて。本当に驚き。

ところで、はじめての函館はどうだった？　ちゃんと見る時間はなかっただろうけど、それでも北の港町の空気というものは感じることができたんじゃないかな。

函館では一体何を食べた？　函館というといつも朝市とか、ベイエリアばかりが持てはやされているけど、沖縄旅行の時もそうだったと思うけど、観光地のレストランではなくてね、地元の人たちが利用するような大衆食堂がいいんだよ。

港なんかを歩いているとね、漁師さんが利用しているようなちょっと色あせた（なんとなく暗い感じの）食堂があるんだ。でもね、外見ではわからないものでね、そういう店の、鮭《さけ》のハラス定食なんか最高！　ハラスってね、鮭の脂肪たっぷりのお腹《なか》の部分の肉を指すんだけど、これをこんがりと焼いておろし醬油《じょうゆ》で食べるの。なんとも言えないぜいたくな味。函館って、イタリアの小さな漁師町みたいなものだから、気取らず庶民的なものを食べるのが何より一番おいしいのね。

ラーメンは札幌には負けるけど、なぜか、カレーとかオムライスはうまいんだ。

それから函館は、とにかく坂道をだらだら歩くのがいい。僕の家の周辺には石畳の古風な坂道がたくさんあって、それを登ったり下りたりするのがおすすめ。いつか李理香を案内してあげたい。

　また手紙を出すね。少し蕗乃のそばについていてあげたいので、返事を出すペースが遅くなるかもしれないけど、待っていて。

十二月二十日

モト

追伸　もうすぐお正月だね。一年が過ぎるのは早い。早すぎる。もっともっとゆっくりと時間が過ぎていってほしい。正月なんか迎えられないよ。

　昨日、親友の結婚式があってね、行ってきた。幸せそうだった。自分が不幸せな時こそ、心から友人のことを祝ってあげられるような大きな人になりたい。

　彼とは、小学校からずっと同じ学校で、小学五、六年の二年間と、中学二年の一年間、同じクラスだった。クラスが違う時もいつもつるんで遊んでいた、本当の仲間なんだ。

　彼の一世一代の舞台を、だからこそ僕は曇った気持ちで見るわけにはいかなかった。なのに、どこかで彼らの幸福がうらやましかったのも偽りのない事実。幸せそうな彼らをほんの少しねたんでいました。新婦が何度も蕗乃と重なってしまうんだもの。そんな自分が恥ずかしくて、退出する時に彼らのまぶしい顔をちゃんと見つめることができなかった(僕は決して君が思うような立派な男ではないんだ)。そしたら友人はそんな僕の気持ちを察してか、目を赤くしながら心のこもった声で、大変な時に俺たちのためにわざわざ来てくれて本当にありがとうな、と言ってくれたんだ(彼にだけは、親友だからね、フキちゃんのことを話してしまった)。

今は心から、彼らの幸せを祈っている。

春よ来い!

年賀状のかわりにこれを書いています。基次郎にとってはクリスマスも正月もない時期を過ごしているんだろうな、と思います。看病に明け暮れる日々にいるあなたに、単純におめでとうとは言えないので、今年は年賀状というのはやめます。私たちの文通も早いもので二度目の正月を迎えました。毎日のようにいろんなことが起こって目まぐるしい日々の中にいますが、きっとそれは今年も続くような気がします。でもどんなことが起こってももう動揺はしないような気がする。それだけ濃い一年を去年は走り抜けたのだから。ねえ、基次郎、負けずにお互い頑張りましょうね。

そうそう、年明け一番、いいこともありましたよ。やっと新しい職場に出会うことができたのです。昨年から職安（ハローワークと最近は呼ぶらしい）で探していたんだけど、やっと見つけた。これぞという感じの仕事場です。下北ではないので、電車で通わなければならないのだけれど、マンモス保育園で、先生もたくさんいます。働いている人が多ければいじめにあうことも少なくなるだろうし、園児も大勢いるので楽しそう。それに園庭もひろく（掃除は大変だろうな）、子供たちものびのびとそこで遊べていい感じです。

来週から働きはじめるのだけれど、昨日園長と理事長に会ってきました。とても物静かな雰囲気の優しい人たちで（園長が男性で、理事長が女性です。二人は夫婦で、長年仲良く連れ添ったという印象）、長く働けそうな感じがします。とにかく気分を一新して、前向きに頑張ってみるつもり。基次郎、応援してください。

なんか今日はデスマス調で書いているのでちょっと堅苦しいね。やめた。とにかく新しい年がはじまったので、私、去年とは違う自分を築こうと思う。思います。今年もどうかよろしくお願いします。ああ、やっぱりかたいね（笑）。

一月七日
李理香

遠野李理香さま

今年は例年にない大雪の日が続き、函館は雪の下に眠っているよ。先日も正月明けに大雪が降って、交通マヒをひき起こした。子供の頃は大雪で学校が休みになるのが楽しかったけれど、大人になるといろいろ仕事とかに影響が出るので、あまりすごいのがこないことを祈るばかり。でもやっぱり北海道は雪が似合う。雪に覆《おお》われた砂州の町もとてもいいものだよ。山頂駅から見下ろす景色も、格別。防寒具に身を包みながら、見下ろす世界の美しさにため息をもらす毎日です。

新しい年、おめでとう。といってももう二月に入ってしまったね。返事がまた遅れてしまった、すまない。

リリカにもなんだか春が訪れそうな気配だね。新しい職場では前の職場での経験を生かして、うまくやってほしいな。他人の幸福なんかに目を奪われず、どうか君自身が幸福になれるようにしっかりと生きてほしい。君はまだまだこれからなんだから急がないで、そして人生をあまりひねくれて恨まないで、憎まないで、妬《ねた》まないでほしい。それが僕のささやかな君への願いでもあります。

お父さんのぐあいの方はどうですか。前の手紙に書かれていたけれど、静かな和解があったようだね。君も大人になったということだと思う。犠牲は大きかったけれど、もう許してあげてほしい。そしてお父さんと新しい親子の関係を築いてもらえないだろうか。これはきっといつか僕の言っている意味がわかる時がくると思うけれど、とにかく今は僕を信じて、お父さんと仲良くやってほしいんだ。絶対、それで良かったと思える時が来るから。絶対にいつかそういう時が来る。

血のつながりというものはとても大切なものだよ。たとえいっしょに暮らすことがなくても、そこには強い絆《きずな》というものがあることは間違いない。二人がさらに身近になるにはいっそうの月日が必要になるだろうけれど、でもいつかは良かったと思えると思う。

　僕にも血を分けた妹がいたんだ。後からわかったことなんだけどね。でも今はその人とも会えない。居場所はわかっているので出かけていきたい。でも今の自分には抱えるものが多すぎて、フキちゃんのことが目下の大事件なので、それに母の問題なんかもそうだけど、いますぐには会いに行けない。親の愛を知らずに育った者同士なので会えば強い絆を持つことができるとは思うのだけれど、なかなかふらっとは会いにいけずにいるよ。

　そういう立場の僕からすると、君がお父さんと和解できたのはうらやましいかぎりだ。

　君のお父さんも重体になるほどのけがをしたことで、もう十分のつぐないをしたと思う。彼はつぐなったのだから、今度は君が許してあげる番だろう。いや、彼のつぐない以上のことを返さなければならないんだと思う。最後には、人間として生まれて良かったと思える時が必ず来るはずだよ。そう、今はまだ半信半疑でも、人間で良かったと思える時が来るはず。

　僕は今、これをフキちゃんの病室で書いている。ベッドの横の小さなテーブルの上で書いている。人間はそれぞれいろんな人生を生きるものだけれど、僕は自分に与えられた人生を恨んだことはない。いつも「もうダメだ」と思うけれど、そういう時にどこからか声が聞こえてくるような気がするんだ。いや手が差し伸べられてるというのか。僕はその手に迷わずいつもしがみついている。きっとこれが神という存在ではないか、と思う。僕には特別に信仰する宗教というのがないのだけれど（あればもっと楽だったかもしれないんだけどね）、でも祈りというのはあるんだ。信仰はないのに、祈りがある、という表現は変だね。でもそうなんだ。特別の神様や仏様への信仰はないんだけれど、でも何かわからないけれどいつも僕に手を差し伸べてくれる存在がいるように感じるし、ある時からその見えない相手に僕も手を伸ばしていたように思う。だから僕は心の底で人間や境遇を呪《のろ》ったことがなかった。つらいとは思っても、いつも何かこれは意味がある、と思い込んでいた。自分を励ますためにそう思ったのではないんだ。本気でそう思っていた。それが僕にとっては救いでもあったのかな。

考えるに、信仰心のある人もない人にも、きっと生き物全《すべ》てに神や仏やそれ以上の存在から、同等に差し伸べられている手があるように思う。それに気がついて、それをつかむかどうかはそれぞれの自由ということになるんだけれど、本当のところで人間には不平等はないように思うよ。

平均寿命が二十五歳の人たちの世界でも僕は幸福というものが確かにあると信じた

い。平均寿命が八十歳の世界にも不幸がちゃんと存在するように。だから僕はね、あらゆることに卑屈にだけはならない、と決めてるんだ。そういう時に、尊い存在を感じることができる。それが僕にとっての祈りだと思う。いつも何に向かって祈っているのかわからないけれど、祈りとは拝むことではないように思うな。祈りとは、あるがままを受け入れ、それを呼吸のように吐き出すこと。世界にひたって、この人生に感謝することだと思う。苦しいことも嬉《うれ》しいこともどちらも人生にとっては大事なことだと、最近気がついた。

今、看病の生活の中にいるけど、僕は毎日毎日、一瞬一瞬が僕に光を投げかけてくれていると感じてならない。だからいつも空に向かってありがとうと言ってしまうんだ。そしていつか僕もあなたのもとへ行きますって祈っている。あなたのもととはどこだろうね。わからないけれど空に向かって僕はそうささやいている。成層圏のさらに果てに僕をいつか受け入れてくれる宇宙があるんだと思う。それが天ではないのかな。

だからいまは動じず、与えられた運命を大切に誠実に生きていけるんだと思う。ここまで気がつくのに、ずいぶんと時間がかかった。でもそれを気づかせてくれたのがフキちゃんであり、母であり、君なんだ。みんなありがとう、と言いたい。

みんなに感謝したい。今日を僕に与えてくれた天のあなたに。

二月一日
長沢基次郎

追伸　幸せは君の手の中にあるよ。ありがとう。そして覚えておいて、僕はいつも君のそばにいるよ。

こんにちは、基次郎
読みおわった後、自分が自分であることを喜んだよ。それは生まれて初めての経験だった。それまではいつも自分の存在を恨んでいたし、呪っていたんだ。それが今は、自分を認めることができた。説明はできない、でもわかるんだ。理解はできない、でも知っている。そういうことなんだと思う。

あなたにもう一度感謝します。ありがとう、基次郎。

私、父親を認めたくなかった。認めないということが私の生き方でもあった。つっぱるのが私の全てだった。でも今はあの人のリハビリに自分から率先して参加している。時間のある時はいつもあの人の家によって、お世話をしている。自分がそんな風になれるとは思ってもいなかったし、恥ずかしいけれど、でも今は理屈を越えて受け入れることができている。きっとそれはあなたに、この文通を通して、教えられたことだと思う。おかしなことを言うけど、笑わないでね。明るい光を見ることにやっと慣れた。明るい光の中に、生きるということのエネルギーがあふれていることを知ることができた。真っ黒なサングラスをかけて後ろ向きに生きていた時期が嘘《うそ》のように、日なたの光の中に生のはじけるような躍動を覚えることができるようになった。ありがとう。私もあなたに感謝する。そしてあなたが言う空の向こうにある何かにも感謝する。それは恵み？　恵みのこと？　私たち生き物は誰もが恵みを受けているということなのかしら。

わからない、でもありがとう。今日はぐっすりと眠れそうです。基次郎もたまには魂を休ませてあげてください。

二月四日

追伸　父が今日、自力で歩きました。ヨチヨチ歩きの赤ん坊のようだったけれど。まるで生まれ変わったみたいだって、笑ってた。

遠野李理香

親愛なる長沢基次郎さま

暖かくなってきたけど、北海道の方はどう？　もう雪は溶けた？　北海道を包み込んだ雪が完全に溶けるまでにあとどれほど時間がかかるのかな。ワタシは最近時計をしなくなった。時間の感覚だけではなく、季節の感覚まで鈍くなってきたよう。

基次郎はいまどうしているの。またキミからの返事が途切れて長いけれど、でもリリカ、待ってるから、いつでもどんな時でも手紙を書きたくなったら、ください。私の方はマイペースで送りつづけるから。お二人のこと、下北の空の下で祈っているね。

春

リリカ

モトへ

今日は一人で映画を見に行って、一人で買い物をして、一人で喫茶店に入って、自分宛《あて》に手紙を書いて、でも住所は書かないで、それをポストに投函《とうかん》してから家に戻りました。

三月二十三日

リリカ

基次郎様

また返事ください。たったの一行でいいから返事ください。ください。ください。まっています。キミからのただの一言を。

三月二十五日

遠野李理香

PS　ください。

基次郎、どうしてる？

心配だよ。本当に心配だよ、どうしているの。あなたからの最後の手紙をひっぱりだして、読み直して、さらに心配になった。追伸の文に何か意味があるの。「そして覚えておいて、僕はいつも君のそばにいるよ」とはどういう意味？

三月二十八日

李理香

親愛なる長沢基次郎様

リリカがいまどこにいるか当ててみてください。ヒント、消印を見て。ピンポン。

そうだよ、また函館に来てしまった。休まず一生懸命働いてきたので、少しまとめて休みをもらって、自分にごほうびの北海道気ままな旅一週間をすごそうとしているところ。今日、函館に入ったのでこれからいろいろと見て回るつもりだよ。来ちゃった。

朝の便の飛行機で。時期のせいかな、ガラガラだったよ。まだ雪が全然溶けてなくて、一面の雪景色なんでビックリしたよ。どか雪が数日前に降ったんだってね。さすが北海道。もうすぐ四月なのにね。

この手紙は、末広町にあるホテルニュー函館のロビーで書いている。基次郎覚えているかな。前の手紙で今度案内してくれるって約束したでしょ。でもご安心を、お忙しい基次郎に迷惑をかけたりしないから。リリカは気まま旅だから、明日は札幌に行くかもしれないしね。

でもロープウェイは乗ってみたいなあ、と考えているよ。

三月三十日
遠野李理香

PS　夕ご飯はどこで食べよう。お寿司《すし》でも食べようっと。

基次郎様

私は今、自分が信じられずに一体どうしたらいいのかわからず、この手紙に向かっている。昼から夜にかけて世界が大きく変化してしまった。

キミは一体誰なの。本当に長沢基次郎という人なの？　それとも別の名前があるの？

今日午前中ロープウェイに行ってきた。基次郎をやはりどうしても一目見たくて。基次郎が元気に働いている姿を見たら声をかけずに納得して東京に帰るつもりで。

麓《ふもと》の駅で長い時間迷いに迷って、本当に何時間も構内をふらついたあと、意を決して山頂駅に登ったの（もうわかるわね）。山頂駅で、また逡巡《しゅんじゅん》し、それから思い切って駅員の方にキミの名前をぶつけてみたの。駅員さんは困惑した顔で、そういう人はここにはいません、と言うじゃない（どういうこと？　どうして？）。私は驚き、そんなことはない、と食い下がった。そしたら事務室に連れていかれて偉い方が応対してくれて、やはり長沢という名前は過去にさかのぼっても見当たらなかった。お父さまの名前さえなかった。全て嘘？

基次郎、リリカに嘘をついていたのね。今までのことは全て嘘だったというの？

じゃあ、キミは一体誰？　一体これはどういうことなの？

私は下山したあと、もう迷わず、基次郎の家へと向かった。あの坂道の途中にある三角トタン屋根の可愛《かわい》らしい家に。ベルを鳴らしたけど、誰も出てこなかった。それから日が暮れるまでそこでずっと基次郎の帰りを待っていたんだけど、誰もそこには戻ってこなかった。

不意に、長沢基次郎という人なんか最初からいなかったのではないだろうか、と考えてしまったわ。

周辺の家に灯《とも》が灯っていくのに、基次郎の家だけがひっそりと暗く、まるで幽霊屋敷のようだった。

基次郎、キミは一体誰？

私は我慢できなくなって、郵便ポストの中を覗《のぞ》き込んで、それだけでは足らずその中に手を入れてみたの。

中には、キミに宛てた私の手紙ばかりだった。一昨日出した手紙もその中に混じってた。一番古い私の手紙は二月四日の消印のもの。

ＮＴＴの請求書には、長沢蕗乃って名前が書かれてあった。蕗乃って、あのフキちゃんのこと？　どういうこと？　結婚したの？　確かに請求書には長沢蕗乃と書いてある。いったいこれはどういうことですか？

リリカは今ホテルの自分の部屋で、ぐったり疲れてこれを書いているのよ。これからどうしたらいいの？　基次郎、キミは実在しているの？　私はどうしても基次郎に会いたい。会って今まで私を支えてくれた全てのことに感謝しなければならないんだから。

どうか連絡をして。そして真実を教えて。それがどんな事実でも、李理香は揺らぐことはないから。

三月三十日
遠野李理香

ＰＳ・ＰＳ　明日この手紙をポストに入れてから、もう一度基次郎の家を訪ねてみることにする。でもこの手紙を開封するのは誰？

長沢基次郎様

今日の最終便で東京に戻ることにしたよ。結局基次郎には会うことができなかった。昨日リリカは勇気を出して、基次郎んちのお隣さんを訪ねてみたの。ご存じでしょ、狭山さんという方。品のいい奥様だった。どう切り出していいのかわからず、お隣はずっとお留守のようですが、と尋ねてみた。

するとその方の顔色が少し変化したのがわかった。何かいぶかるような目つきだったもの。

それで私はあわてて、基次郎の古い友人なのです、と説明をしたの。安心してね、蕗乃さんのことを忘れたわけではありません（しかし今となっては蕗乃さんの存在すら怪しいのだけれど。でも疑ってはいません。ただ混乱しているだけ）。それに、文通相手だとは言わなかったから。変にかんぐられてはいけないだろうから、私なりに精一杯の演技をしておいた。キミがロープウェイに勤めていると、私に嘘《うそ》をついていたことも口にしなかった。キミの素行調査をするつもりはないのだから。そういうことはいずれ基次郎、キミの口から直接聞きたいから。基次郎が、実在する人物だと確認できればそれで良かったの。

隣の人は、皆さんはここのところずっと病院のほうです、とだけ教えてくれた。そこまで聞いて、私はこれ以上聞いてはいけないのだ、と自覚したの。フキちゃんの看病に明け暮れていたのですね。たぶんそうだと思う。そうだと言ってほしい。

お隣の方は、キミの存在を認めた。私はそれだけで満足だった。もう帰ろうと思った。これ以上基次郎のそばをうろちょろするのはよくないって思ったから。ロープウェイのことは狐《きつね》につままれたようだけど、それもこれ以上詮索《せんさく》するのはやめる。そんなこと大したことじゃないから。何か理由があっての嘘だったのだろうから。

感情的な手紙になってしまった。でも読み直さずこのまま投函して帰るね。手紙って不思議、書いているうちにもやもやしていた感情がほぐれていくのだから。今は、キミとちゃんと向かい合って話し合ったような気分になっている。

遠野李理香

親愛なる基次郎様

いま李理香、函館空港にいるの。少し早くついちゃって、空港内のレストランでこの手紙を書いている。

今までに何通くらいの手紙を基次郎からもらったのか考えてみた。でもそのほとんどが（いや全《すべ》てが）嘘の手紙だったわけでしょ。基次郎はロープウェイに勤めていなかった。絶対に嘘をつかない約束をしたから、私は全て内臓の中まで見せるほど、真実だけを洗いざらい話してきた。なのに基次郎は全部、かな、まあ大目に見ても、ほとんどは嘘だった。嘘ばっかりだった。何か事情があるにしてもやっぱり納得できない。一つでも嘘が混じっていたら、それでもうアウト。なぜ嘘をつかなければならなかったのか教えてほしい。

思い返すと笑ってしまう。函館山の頂上から見た星空の話とか。あれも嘘ね。でもその嘘に励まされて、李理香は本当に沖縄に出かけたのよね。それで嘘の話に丸め込まれ、まるで催眠術にかけられたように心が楽になった。

基次郎が修学旅行生を安全な場所まで移動させている姿や、ロープウェイを運転している図なんかが私の頭の中にはすっかり出来上がっていたというのに。不思議なことに、制服を着て山頂駅に立つ基次郎は、まだ李理香の中にいるというのに、それが全て嘘だったなんて。会ったこともない人なのに、その笑顔までちゃんと心に描けるというのに。

いったいどこまでが本当の事だったのかな。それに一つ気がかりもある。どうして基次郎が李理香に嘘をつく必要があったのか、ということ。

今は急がない。急ぎすぎて、知らないうちにキミを責めてしまって、たった一人の友を失うのが怖い。だからいつかでいいから、いつでもかまわないから、本当のことを教えてね。もう何を聞かされても驚かないから。

フキちゃんのことも嘘？　わからない、何もかも信じられなくなりそう。

四月一日

遠野李理香

ＰＳ　一度でいいから本当のことを伝えてほしい。

# 6 徹夜明けの赤目のウサギ

親愛なる基次郎さま

ひと月近くも手紙を書かないと、書き方を忘れてしまうもので、ちょっと堅苦しいはじまりですが我慢してください。私は新しい職場にもすっかり打ち解け、前の北沢保育園の時とはまるで反対の楽しい日々を送っています。何より、ここにはいじめがないのです。みんな優しくて、いい人たちばかり。時々園児の親に問題のある人もいたりはしますが、気になるほどではありません。うまくやっています。

私はいまも前のところと一緒で、四歳児の面倒を見ています。言葉を覚えたての子供たちって本当にピュアで可愛《かわい》い。毎日が楽しく、のびのびと働いているところです。

もちろん園児のお父さんとおかしな関係になることももうありません、ご心配なく。というのもあの人（父のことです）とうまくやっているからです。最近では、お父さん、という言葉も、多少ぎこちないにしてもふだんなんとか口に出すことができるまでになりました。きっかけはリハビリのアシスタントをしていた時のこと、あの人が病院の階段でつまずきそうになって、私が思わず支えてしまったのです。その時に、つい、お父さん、と声が出てしまった。二人とも照れて、その後しばらく言葉がつづかなかった。でも、お父さんという言葉は私の肉体の中の悪意の根っこを取り去ってくれたのです。

かつてだったら、そういうことに対しても反発を覚えたのだろうけれど、今は大丈夫。時間に感謝ですね。少しは大人になることができました。

それから報告が一つ。これは、話しづらいことなんだけれど（看病に明け暮れるモトに申し訳なくて）、でも真実だから話します。喜んでもらえるとうれしい。実は、恋人（のようなもの、まだ手も握っていません）ができました。その人は五歳児を見ている保父さんで、安藤正彦君という一つ年上の男性です。最初はタイプではなかったし、なんとなく不幸そう、というのか、万年貧乏なんだろうなって顔をした人だったので、ちょっと苦手だったんだけれども、でもある時、そう、ふとした時に、私にとても優しくしてくれて、なんの時だったかな、ええと、脚立に乗って壁にお遊戯会の飾りつけをしている時だったと思うのだけれど、その時、彼がずっとやってきて脚立を押さえてくれたんです。何気ない行為だったのに、見下ろした彼の顔が誠実そうに見えて、それで、恋をしてしまって。そういうのはじめての経験だったから、最初その気持ちがどこからくるものなのかわからず、それを言葉にすることができずもじもじしていたんだけど、彼の方からその、交際を求められて、帰り道だったと思うのだけれど、そうだ、踏み切りで電車が通過するのを待っている時に、いきなり言われて、思わず、いいよって答えてしまったんです。

どうなるかわかりません、この先。でも、心が動いたのははじめてのことで、私にとってはかなりの進歩だと思います。その人はとても優しい人で、今はいろんな面で励まされている。出会えて良かったと思える人です。出会って良かった。そう、もちろんこれは基次郎に対しても言えることだけれど。

あなたからの手紙がこなくなって随分になりますが、元気に看病をされていることだと思います。その基次郎のためにも、私はもう大丈夫、元気にやっているよ、と言いたかった。少しでも基次郎を楽にさせてあげたかった。基次郎の重荷を軽くしてあげたかったんです。大丈夫。私はもう大丈夫。それより基次郎が大丈夫か心配です。いままでのお返しを少しでもしたいと思います。だからどんな時でも苦しい時はお手紙をください。基次郎のような優しい励ましはできないかもしれないけれど、できる限り、精一杯私なりの返事を書きます。

——

保育園は光に満ちていて、働きがいのある職場です。純粋無垢《むく》な子供たちと向かい合う仕事につくことができて今は幸せです。あら、びっくり。幸せという言葉を自分から使うなんて。これも成長というものでしょうか。来月、私、二十歳になります。二十歳の大人として恥ずかしくない人生を送りたい。基次郎、遠くから私を見ていてください。

四月二十五日
李理香

追伸　二十歳だなんて、知らない間に生きてしまった。昨日、生まれて初めて髪の毛を少し茶色に染めました。ほんの少し大人になったような気分がします。安藤君とのはじめてのデートはディズニーランドに決まりました。来週の日曜日に、彼のお姉さんの息子たち（四歳児、六歳児、八歳児）を連れて、行ってきます。またその辺のところはいつか報告するね。

親愛なる長沢基次郎さま

汗ばむ季節になった。いかがお過ごしですか。

マンモス保育園での日々はいろいろありますが、自分でも信じられないくらい明るく頑張ってるよ。昨日は園児が高熱を出して、救急車が来るという大事件もありましたが、その子も今日はけろっとした顔で朝お父さんに連れられてやってきました。子供はよくわからないところがある。でもそこが面白いのだけれど。

あれから手紙がさっぱり来なくなりましたが、李理香がアポも取らずに基次郎さんのところへ行ったから怒っているのでしょうか。それとも蕗乃さんのことが原因でしょうか。なんだかもう基次郎さんから手紙が来ないような気がします。

それならそれでいいのかもしれないとも思います。私もこうして新しいスタートができたわけですから。自力といえば大げさですが、いつも基次郎に助けられていたのに、いまは一人でがんばってなんとかやっていく自信もできました。

基次郎との関係がこのまま自然消滅してしまうのは少しさびしい気もしますが、人生とはきっとこういうものなのでしょう。出会いと別れのくりかえしなんですね。なんだか私のような未熟な者がこんな偉そうなことを言うようになるなんて人生っておかしい(ちゃんちゃらおかしい。でも楽しい)。

私たちの長い文通が、最後は私の方からの一方通行で終わりをむかえるのは少し残念ですが、いつかまた、本当に気まぐれでもかまわないので、ふっと誰かに手紙を出したくなったら、迷わず李理香に送ってください。基次郎さん（モト）のことは決して忘れませんから。絶対に忘れませんから。絶対に忘れない。本当に今までありがとう。それでは、お元気で。お母様にもくれぐれもよろしくお伝えください。お体にくれぐれも気をつけて、どうかご自愛ください。

五月十五日
遠野李理香

ＰＳ　駅から保育園までの並木道は緑が美しく、さわやかで清々《すがすが》しいです。毎日胸を張って歩いています。葉っぱたちが李理香のために微笑《ほほえ》んでくれているようで元気になれます。安藤君とも普通にうまくやっています。けんかばかりだけど。
李理香、絶対頑張ります。ありがとう、基次郎。

前略

はじめてお手紙をさしあげます。わたくしは、長沢基次郎の母、蕗乃と申します。

突然のお便り、さぞ驚かれたことかと思いますが、どうぞ基次郎のためにも最後まで目を通してやってください。基次郎に宛《あ》てられたあなたからの前回のお手紙を読んだあと、このまま何も知らせないでおいた方がいいのだ、とも思いました。でも基次郎の写真を見ていたら、最後の最後まであなたのことを心配していた基次郎の死について、やはり知らせなければならないのではないか、と心が揺れ、そしてやはりお伝えしようと考え直したのです。

一人息子の基次郎は、今年の三月の初旬、短い一生を終えました。いまこうしてあなたに真実を語ろうとするとその現実の酷《むご》さと苦しさに胸が張り裂けそうになります。一体、何から話せばいいのでしょう。李理香さんもお気づきの通り、基次郎はロープウェイで働いてはおりませんでした。あれは全《すべ》て作りごとです。そして私はあなたから送られてくる手紙を長いこと入院していた基次郎に届ける役目をしていました。時には、目の調子が悪いときなど、あの子の代わりに、本当に申し訳ないと思いながらも、あなたからの手紙を声を出して読んでやったりもしておりました。ただし誤解のないように申し上げますと、最初から読んでいたわけではありません。去年の暮れの数通と今年になってからの分だけです。基次郎が自力で手紙を読むことができなくなった時期からのものしか目を通しておりませんし、また基次郎が死んでからのものだけであります。

基次郎は私にも誰にも勝手に手紙を読ませたりはしませんでした。しかし、もうそれしか他に手紙を読む方法がないと分かってからはじめて私に読むことを頼んできたのです。だから、二人の文通の内容に関しては私は詳しくは知りません。それはあなたと基次郎との間だけの世界として今も大切に守られております。

また、基次郎は決して私の代筆の申し出を受け入れませんでした。最後の最後、本当に手に力が入らなくなるその最後の瞬間まで、あの子は自力で手紙を書きつづけていたのです。だから後半のものはかなり字が乱れているかと思いますが、看護婦が勧めたワープロさえも使うのを拒み続け（それは温《ぬく》もりが伝わらないからだ、とあの子は言いつづけておりました）、一つの手紙を書き上げるのにまるまる三日も四日もかかっておりました。

これから真実を話すことにします。しかしこれは基次郎の意思ではありません。黙っておくこともできたのですが、やはりあなたには知る権利があるだろうと思い、私はこれから基次郎に代わって真実を話すことにしたいと思います。

まず、最初に告白しなければならないことは、基次郎はあなたの兄であるという事実であります。あなたたち二人は血を分けた兄妹《きょうだい》なのです。あなたのお母さん（つまりは、基次郎の本当の母親ということになります）は、あなたを産み落としたその時に命を落とされました。そういう運命をどう説明してよいのか分かりません。言葉が足らず、あなたを悲しませてしまうかもしれません。どうか、私の投げかける未熟な言葉たちをあなたなりの方法で適切に受け止めてやってくださいませ。

奥さまを失われたあなたのお父様、蓮井明彦さんは、その直後仕事をする気力を無くし、同時に運の悪いことに大きな詐欺《さぎ》にあってしまい、貿易会社を一夜にして破産させてしまうのです。もともと海産物関係の仕事で東京から来ていたせいもあり、こちらにはあまり知人はおりませんでした。唯一《ゆいいつ》私と私の亡《な》くなった夫が仕事を通じて知り合った関係者ではありましたが、それでもそれほど親しい間柄ではなかったのです。たまたま、お父様（蓮井明彦さん）が私どもの家に基次郎だけを預けて、その足で行方をくらますことになるのですが、それも私たちであれば基次郎を幸せにできるだろうという考えのもとだったと思われます。借金取りに追われたあなたのお父様はあなただけを連れて東京の親戚《しんせき》の家に逃げたのです。私たちはしばらく基次郎を預かっていましたが、やはり自分たちの子ではないので、施設に預けることにしました。気になり時々様子などはこっそりと見にいっていたのですが、だからといって自分たちで引き取るということはできませんでした。やはり私たちもお父さまの会社の倒産の余波を受けて貧しかったのです。しかし、私たちに子供が授かることがない、ということがある時医学的に分かり、夫は基次郎を自分たちの子供として引き取ってはどうかと言いだしました。私も賛成でした。あの子は素直だったし、不思議な縁もありましたし。

しかし基次郎の成長の途中で夫は病死し、私はあの子と二人きりで暮らすことになります。成人した基次郎は、市の観光課の方で働くことになるのですが、それも長くは続きませんでした。ある時、あの子の肉体に異変が起き、不治の病に冒されていることが分かるのです。基次郎二十二歳の夏の出来事でした。

その時、あの子に私は真実を語って聞かせることを決意します。短い人生だろうと、あの子が自分で選択をする必要があると考えたからであります。お前には父親と妹がいる、と、病と闘いをはじめた基次郎に私は告げました。

最初は呆然《ぼうぜん》とそのことを受け止めていた基次郎でしたが、次第にそのことの大事さに気がついてきたようでした。基次郎はそれからあらゆる手を尽くして、血のつながった父と妹の居場所を探しはじめることになります。私も記憶にある蓮井さんの関係の人を頼りに、その足取りを追いかけてみるのです。その範囲は次第に狭まっていき、ある時、まずあなたのお父様の居場所が分かります。それからまもなくあなたがすぐ近くの施設にいることが分かりました。その時、間に入って情報を提供してくれたのが、星の光の三原先生でした。三原先生から、あなたが自殺未遂を引き起こしたばかりだということも聞かされます。基次郎は大変に悩んでおりました。そして父親との再会よりもまず不幸のどん底にいる妹を助けようということになったのです。とはいっても、自分が兄だと名乗り出ることはできませんでした。名乗り出ても、その数年後に他界するわけですから、それほど酷いことはない、と思ったようなのです。そして苦肉の策として考え出したのが、文通という手段でした。ペンフレンドになり、励まし続けることで、死という逃避からあなたを救おうとしたのでした。「決して会わない、真実だけを語り合う仲」という約束ごとも、彼の苦しい立場を隠すための手として生み出されたものであります。

ある時期、自分の死期が迫った時点で、文通は終わらせようとしていたようです。そして自分なりの方法で妹を幸せにしてやるのだと自分に言い聞かせ、それが彼にとって最後の人間としての役目だと思い込んでいたようでもあり、またそれが彼の残りの人生を支えるエネルギーにもなりました。

また彼にとっても自分を置き去りにした親のことよりも、同じ境遇、いやそれ以下の環境で生きてきた、生きている、会ったこともない妹を少しでも導きたかったのだと思います。それが兄としてしてやれる唯一のことだと思っていたようです。あなたを励ますことはつまり自分を励ますことでもありました。

そしてフキちゃん（これはもうお分かりの通り私の名前、蕗乃を使っているのですが）という全く空想の登場人物を作り上げます。正しくあのフキこそ、基次郎そのものでした。あの子が送った手紙をもう一度最初から読み直して頂ければわかります。フキちゃんが入院したり、倒れたりしている時期はつまりあの子自身が手術を受けたり、病状が悪化して苦しんでいる時に重なります。あの子の字が乱れていくのは手が動かなくなった時期と重なります。昨年末のフキちゃんの喉《のど》の切開手術というのはもちろん基次郎自身が受けた手術のことでありました。

二月の一日に書いた手紙が（何度も何度も書き直すことになるのですが）最後の手紙となるのです。あの手紙だけ、ほんの少し私が代筆をしております。あれは二人で書いた手紙でした。あの子と二人三脚ができた唯一の手紙でした。あの子と私が流した涙があの白い便箋《びんせん》を何度も濡《ぬ》らし、そのたびに私は便箋を汚さぬよう丁寧に拭《ぬぐ》わなければならなかったのです。

あの手紙を書くということであの子は燃え尽きました。その後のあなたからの手紙には涙だけがあの子の唯一の応答であったように思えます。そしてあなたを守ってあげられない自分の非力さに時折悲しみを堪《こら》えきれずに泣いておりました。その涙だけが、あの子の最後の意思でもあったわけです。

基次郎はあなたを励ます中、人生の幕を閉じることになります。しかしそれはああいう不幸の中にありながらも幸福な時期であったのではないかと想像します。あなたと文通をすることができて、はじめてあの子は生きる理由を手に入れることができました。最後は幸福な顔で旅立ちました。優しい笑顔でこの世を去ったのです。

どうもありがとうございました。どうかあなたはこの残りの人生を基次郎の分まで幸せに生きていただきたく思います。もしも函館《はこだて》に立ち寄られることがあるならば、一度基次郎の墓にお立ち寄りくださいませ。

五月二十日

長沢蕗乃

追伸　さて同封致しましたのは、基次郎が臨終の間際《まぎわ》に認《したた》めていたものと思われる、貴女《あなた》宛の手紙であります。思われる、と書いたのは、見ての通り、私は開封していないため、それがいつ書かれたものなのか分からないということです。手紙は基次郎の大切にしていた鞄《かばん》の底から死後みつかりました。普通なら、書いたその日に私に投函《とうかん》するように頼むはずなのですが、何故《なぜ》しまっていたのかは今となっては分かりません。なんども封を切って中の手紙を読みたいとも思いましたが、あの子の気持ちを尊重してやめました。あの子の思いを大切に受け止めて頂ければ嬉《うれ》しく思います。

＊

親愛なる遠野李理香さま
君との文通がはじまってどれほどの時間が経《た》ったか、わかる？
もうすぐ二つ目のクリスマスを迎えようとしている。こんなに長く文通が続くとは実は思っていなかったんだ。なにせ僕は飽き性なものだから、一年以上も一つのことをつづけるだなんて、しかも会ったこともない人を励ましたり慰めたりするだなんて、自分のことをよく知る僕にとってはこれは驚き、というしかない。本当に長く二人の文通はつづいたね。明らかに僕にとっては皆勤賞ものなのです。君にとっても？
振り返ると僕にも君にも、この一年ちょっとの間に本当にいろんなことがあったね。良きアドバイザーを務めることができたかどうか、わからないけれど、君が僕と知り合ったことを後悔していなければいいんだけど。

少なくとも僕にとっては、君との文通で得たものは計り知れないほどに大きなものだった。君とこうして手紙でやりとりできたことで僕は言葉では言い表せないほどに大きな人生の収穫を得ることができた。このことはとても感謝すべきことだと思うんだ。

でもあらゆることにははじまりがあるように、いつかはそれなりの終わりというものがあるように思う。終わりがあるからこそ、そこから新しく考え出したり、再出発ができたりするのだと思う。終わりは決して最後ではないと思うんだ。終わることではじまる何かもある。卒業に似ている終わりもある。卒業は旅立ちでもあるわけで、そこから新しいことが生まれるんだ。僕たちのこの文通もそういう時期を迎えつつあるのではないかと思う。だらだらと文通を続けるのなら二人は無条件に依存しあってしまう危険性を持っている。君は僕に真実を伝えるだけで、どこか安心してしまうのかもしれない。僕だって、君の真実を聞くだけで全てをわかったような気持ちになりつつある。あるいはフキちゃんとのことを君に打ち明けることで空想のカタルシスを得ている。でもそれは今をごまかしているにすぎない。便箋に苦しみを書きなぐることで、今をごまかしているんだ。

真実を言い合うだけではなく、真実を正しい方向に変化させられる関係でなければダメなんじゃないかな。僕たちの間に嘘《うそ》がないのはいいけれど、本当だけがいつも正しいわけではない。本当の中にも間違いや傲《おご》りや勘違いや筋違いというものはある。それを正せる間柄でなければならないのに、いつのまにか二人は馴《な》れ合いになってしまった。いや僕がそう感じただけかもしれないが、見せ合うだけでは何も変化は起きない。この関係はつまり一つの飽和状態になったと言えるのではないかな。

だからこそ、いったん文通をやめて、しばらくそれぞれの人生をそれぞれ自力で見つめ直していく時間を持とう、という提案をしたかった。そういう時間こそが僕たちには必要だと考えたんだ。

別れというのはいつか必ず来るものだから、僕たちはその別れが来る前に自分たちの手でこの美しい文通という関係に終止符を打つのがいいように思う。自分たちの手で幕を下ろす。そしてそれぞれここを卒業して、新しい世界に旅立つのがいいだろう。それが二人にとって、とても大切なことだと思わないかい。

文通を終わらせたい、という僕の真意をどうか勘違いしないでね。これは永遠の別れではないよ。ボクたちの出会いをもっと美しいものにするための、一つのステップ。一時的な休息だと考えてもかまわない。またお互いが成長した後、再び向かい合う時が来るかもしれないのだから。

別れても、文通を通して築いた友情は永遠だよね。僕はいつでもまた君に手紙を出すことができる。もしもだよ、僕が病気で死んだとしても、僕はきっと君の記憶の中で生きつづけることができるはずだ。反対もありえる。つまり二人は共通の時間を体験した。会ったことがないのに、二人は同じ苦しみや悲しみを共有したんだ。だから文通が終わっても、二人の関係が消えてなくなることはない、と信じているよ。ああ、信じている。またいつか、僕は君からの手紙を受け取るような気がする。その書き出しは当然、こんにちは基次郎、というものだろう。君のまるっこい文字で、書かれた……。

この提案を君が受け入れてくれることを僕は望んでいます。それはつまり君が人間として成長したという証拠でもある。僕に依存せずとも、自力で生きていけるという自信があるということだと思う。どうか、どうか、これまで以上に君がたくましく大人になっていけるように。僕はこっそりとお祈りをしたいと思う。

ありがとう。短いようで長かったこの期間、まるで兄妹のような美しい関係を持てたこと感謝します。

十二月十八日

長沢基次郎

ＰＳ　最近窓越しに夕焼けを見ては、なんだか涙が止まらないんだ。自分が生きていることが時々不思議でならない。誰とも会いたくない日がある。人が訪ねてくると、わざと厭味《いやみ》を言ったりする。意地悪ばかりする。そんな自分が嫌になるよ、全く。どうしてもっと大きな心で人と接することができないのかって、情けなくなる。

人間って、一体なんだろう。どこから来てどこへいくんだろう。神様ってほんとうにいるのかな。どうして神様はたくさんの試練を僕らにお与えになるんだろう。

僕は誰かな。僕はどうして僕という人生を生きなければならないんだろう。未来なんか僕は信じない。未来なんか、人間のエゴが生み出したものに他ならないんだから。未来より今日を、今日よりも過去を僕は大切にしまって生きたい。

過去にすがる僕を李理香、笑わないでね。過去しか意味を持たない人も世の中にはいるんだから。

何を言いたいのか自分でもわからなくなってきた。僕はここのところ少し精神不安。でもこれからは一人で乗り越えなければ。李理香もどうか自力で頑張って。僕は、遠くから君のことをずっと応援しているよ。ずっとずっと応援しているよ、ずっとね。

長沢蕗乃さま

いったい何を信じればいいのでしょう。基次郎さんが死んだというのは本当のことなのでしょうか。私にはどうも全く信じることができません。大勢が私をかつごうとしている気がします。みんなでよってたかって。それとも基次郎さんのお母様の名をかたった誰か、悪意のある人間のいたずら？

もしそうなら、これほど悪質ないたずらはない。だって、基次郎さんが死んだなんて嘘を。いったいなんの権利があってこんないたずらをするのでしょう。

誰でもいいから、これは全《すべ》て嘘だと言ってください。こんな馬鹿《ばか》げたことを信じろっていうほうがおかしい。

あなたは、本当に基次郎のお母さんですか？　もしそうなら、基次郎さんの死亡証明書を送ってください。戸籍でも、住民票でも、彼の死を立証できるものがなければ私は絶対に信じません。

基次郎がずっと難病におかされていて死と隣り合わせで生きていただなんて。それが本当なら、私はそんな状態の基次郎にずっと下らない悩みを相談してその貴重な時間を無駄にさせていたことになる。いえ、あなたがいうように基次郎が私の兄なら、なおさら。兄？　馬鹿げています。モトが私の兄ですって？　そしてもうモトはこの世にいない？　そんなことを信じろというのですか。いつ基次郎は死んだのかちゃんと証明してくれなければ私は絶対に納得しません。基次郎が兄だという証拠も見せてください。血液型でも遺伝子でもなんでも調べてきちんとした事実だけを伝えてください。

ああ、そんなことがあるわけがない。嫌です。基次郎が他界して、もうこの世に存在しないなんて。絶対にいや。そういう嘘はどうかつかないでほしい。

本当のことを教えてください。本当のこととは何ですか。私が卑屈に生きてきたから、神様が罰をお与えになったのでしょうか。お母さん、お願いです。真実だけを教えてください。基次郎は今どこで何をしているのか、事実だけを教えて。私と文通をしたくないのなら、それでいいじゃないですか。こんな手のこんだことをしなくとも私は納得できます。死だなんて。まさか、そんな恐ろしい。嘘は無しです。私は本当のことを知らなければなりません。

五月二十五日
遠野李理香

長沢蕗乃さま

前の手紙を出したあと、もう一度送られてきた手紙を読み直しました。何度も何度も読みました。本当なんですね。基次郎さんは死んだのですね。

私はどうすればいいのですか。

李理香

こんにちは、基次郎

悪い冗談はやめてよ。本当に悪い冗談だよ。私が悪い子だからって、こんな冗談、しゃれにならない。私がうっとうしいのなら、ハッキリそう言って。こんなふうに試されると気がおかしくなる。お願い、これ以上私を苦しめないで。

いますぐ返事をちょうだい。いつものように私をなぐさめて。お願いです。いますぐ。

五月二十六日

李理香

前略

これから、函館へ行くことにします。ずいぶんと悩んだのですが、基次郎の死をこの目で確認します。それが私にできる唯一《ゆいいつ》の方法だから。

もし本当に基次郎が死んだのなら、私はそのことをきちんと受け止めなければなりません。どんな最悪の現実が待っていようと、受け止めてみせます。私は強くならなければならないのですから。

きっとこの手紙がそちらにつく前に私の方が早く函館に着いているはずです。それでもこの手紙をポストに投函して行きます。私と基次郎との文通は、郵便配達さんがこうやっていつも二人を結びつけていたわけだから、私は私の手紙と一緒に函館へ向かわなければならないんです。

私はもうポストを開けて、そこに基次郎からの手紙を見つけるという喜びを持つことができないのでしょうか。それはもう決まってしまったことなんですか？
私はもう基次郎へ返事を出すことができないんでしょうか。近所の、いつものポストへ基次郎宛《あて》の手紙を投函に行くことはできないのですね。基次郎のために、可愛《かわい》らしい便箋を買いに行くことも？あの人からの手紙を心待ちにすることも？もしも、天国と文通ができるなら、私は今度は真面目《まじめ》に一生懸命手紙を書きます。手紙が届いた日に、すぐ返事を書くようにします。だから死んだだなんて言わないでください。そんな嘘で私を苦しめないでください。

五月二十六日
りりか

長沢蕗乃さま

# 7　どこか隅の方で僕も生きてるんだ

前略

冬が過ぎ、また穏やかな季節が近づいてまいりました。早いもので、あれから一年が経《た》ちましたが、いかがお過ごしでしょうか。

私は四歳児の担任から、こんど〇歳から一歳児までのクラスに移ることになりました。言葉をしゃべっていた園児たちではなく、まだ生まれたてで首もちゃんと座っていないような子たちの面倒を見るのです。自分が母親になる時のためにはとてもいい勉強にもなりそう。それに赤ちゃんって好きなんです。まだ何にも未来の決まっていない子たちを見ていると、こちらもなぜか希望を分けてもらえそうな気がして元気になります。多分、今きちんとした恋をしているせいもあるのかもしれません。その人と結婚というものを考えているからかもしれない。いつか自分も子供を生むのだろう、と自然に考えはじめています。近い将来、家庭というものを築きたいと思っているからかもしれない。幸せというものを人並みに願うことができる、夢みることができるまでに、私は普通に元気になることができました。

社会というものを憎んで生きていた頃のことが今となっては信じられないくらいです。これも全《すべ》て天国にいる基次郎、いえ兄の導きのおかげなんだと、感謝しています。どうしているのでしょうね、兄は、今頃。兄の魂は、どこでなにをしているのでしょうか。きっと大空の果てでまた人の面倒を見ているのではないでしょうか。本当に優しい兄でした。その優しさを私は受け継がなければ、と思っています。そして兄の分まで幸せにならないといけない、と強く心に誓っております。

一年前、私はお母様に連れられて、兄の墓前にいきました。そして兄の確かな死を認めることができました。周辺の古びた墓の中にあって、まだ目新しいそのぴかぴかの墓石だけが妙に浮きあがって輝いていたのが印象的でした。

墓を見たらきっと取り乱すと思っていたのに、冷静だった自分が不思議でなりません。さわやかな春の風が墓地を吹き抜けて、それは基次郎さんの魂からの呼びかけのようでした。私には風が吹くたびに、基次郎さんが微笑《ほほえ》んでいるように感じられてならなかったのです。

あれからの一年はものすごい勢いで時間が流れていきました。わずかに一年なのに、私にはもう何十年も時が経ってしまったかのように全てが遠く感じられます。人生にくじけそうになると、兄から送られてきた手紙を一つ一つ取り出しては読み返しています。文通で良かったと思います。文通のおかげで、手紙が残った。手ざわりや字の感触が健在で、まだそこに基次郎そのものが強くたくましく存在しているように思えます。

基次郎に毎日励まされているように、兄は今も私のすぐそばにいるようです。生きていれば周辺から多少の意地悪をされるのは当たり前で、でももう前のように逃げたりはしなくなりました。そういう時は、兄の手紙を読み返し、強くなろう、と自分に言い聞かせております。基次郎との出会いによって、私はたくましく成長することができました。

基次郎という存在は私にとっていったいなんだったのでしょうか。今はこの世に存在しない兄のことが、風化せず、私の心の中に、強く根づいて、それは今や空に向かって毅然《きぜん》とそびえる大木のようです。私はいつまでもその大木の前で遊び、悩み、成長をつづける小さな子供です。いつも兄という樹木を見上げ、その青々とした葉の茂りに、また葉先で踊る光の輝きに目を細めています。

お母様、兄さんは私たちが生きているかぎり、すぐそばにいます。そしてともに生きるのです。彼の美しい魂は不滅です。私たちが生きつづけるかぎり兄も生きているのです。

私は、一生兄をそばに置いて生きていくような気がします。彼の残してくれた言葉は、私にとっては神様の声です。

お母さまにお時間がある時、ぜひお返事をください。ほんとうに時間のある時に、その後の日々のことをお聞かせください。季節の変わり目、どうかお体を大切に、ご自愛ください。

五月二十八日
遠野李理香

追伸　生きているといろんなことがあります。いまは基次郎の分も一生懸命生きていくつもりです。絶対にわたし負けません。でもそんなことをいうと兄はきっと、人生とは勝ち負けではない、と笑うでしょうね。でも私、自分の人生に負けないように頑張るつもりです。そうじゃない、自分自身に負けないように。

夏休みを利用して、友人と北海道旅行を計画しています。函館《はこだて》によろうかと思っています。基次郎さんのお墓参りをしたいからです。もし具体的に決まったら連絡致します。

拝啓

お手紙ありがとうございました。本当に月日の流れの早いことを感じます。基次郎が他界して、もう一年以上もの時間が流れたのですね。時間というのは不思議なものです。何もしなくとも、勝手に流れていくのですから。こちらが望もうが望むまいが、たんたんと移り変わっていってしまうのですから。

最初は、基次郎の死が遠のいていくようで、カレンダーを見るのも嫌でした。でも、今はその時間のせいで、私は再び人間らしい日常を取り戻すことができたのですから、感謝しなければなりません。

人間は、時間で区切られているから、日々の喜怒哀楽に耐えることができるんだと思います。悲しいことも、嬉《うれ》しいことも、時間が生身から引き離してくれるのです。

基次郎の死。あんなに辛《つら》かったその現実も、時間の流れの静かな優しさの中で癒《いや》され、今は穏やかに彼の生涯を抱きしめなければ、と思うように、思えるようになりました。

埋葬される前、基次郎の亡骸《なきがら》は一年ぶりに自分の部屋に戻ってきました。私は一人で、冷たくなった彼の遺体を柩《ひつぎ》から取り出し、彼のベッドに横たえたのです。息子の部屋は彼が入院している間もずっとそのままにしてありました。いつかは、元気になって帰ってくると信じていたから、いつ戻ってきてもいいように掃除はかかさなかった。

基次郎の亡骸は、まるで生きているようにベッドの上にありました。カーテンごしに差し込んでくる月明かりに静かに浮き上がって、寝息さえ聞こえてくるようでした。あんなに穏やかな優しい表情を見るのは久しぶりのことでした。

やっと苦痛から自由になったのです。それが私にはハッキリと分かりました。ずっと寝かせておいてあげたかった。たとえ遺体の腐乱が始まっても、骨だけになるまでそこから動かさないでおいてあげたかった。一瞬ですが、本気でそんなことを考えたのです。

まだその部屋は残してあります。彼の机も、服も、レコードも、ステレオも、大好きだったスキーも壁に立てかけてそのままです。私は今までどおり毎日息子の部屋を掃除しているんです。彼がいつ帰ってきてもいいように。

ときどき、息子が部屋に戻ってきているような気がすることもあります。寝ていると、基次郎の部屋の方で音がしたりするんです。一度なんか、スタンドの明かりがついていたことがあってびっくりしました。あ、やっぱり戻ってきてるんだって、そのときは嬉しかった。でもよくよく考えたら、昼間掃除をしたときに私が間違えて点《つ》けてしまったままだったのかもしれない、のですが。でも、なんでもいいんです。そういう風に思いこめれば今は幸せなんです。まだあの子が近くにいると思うだけで。

あの子の死を受け入れるのに随分と時間がかかってしまいましたが、ようやく私も残りの自分の人生を見つめなおすことができるようになりました。基次郎の死をやっと自覚できるようになったので、これはとても寂しいことではありますが、でもそこがまず最初の第一歩でもあると思うのです。これから仕事をしながら、一人で生きていかなければならないので、私も前よりもっと強く生きなければなりません。でもね、人間が一人で生まれてきて、一人で死ななければならないのは、どんなに裕福な人だろうと、かわりはしないことでもあるのです。いえ、人間は孤独な生き物なのだ、などと言いたいわけではありません。そんなことみんな知っていることです。それを分かっているからこそ人間は助け合い、協力しあって生きていくんです。

先日も、十字街の電停で路面電車を待っていた時のこと、その風景の中に基次郎の姿を発見したのです。あの子は夏服を着て仲間たちと大通りを走って渡っていきました。私は思わず、基次郎、と声に出して叫んでいたんです。そしてそれが幻だと分かった途端、不意に悲しくなり、その場でうずくまり泣きだしてしまった。道行く人が親切に手を貸してくださり、私をアーケードの下の日陰に導いてくれました。大丈夫かというものですから、私は、ええ、もう大丈夫です、とはっきりと答えました。ええ、もう大丈夫です。そう自分の心の中で何度も何度も呟《つぶや》いておりました。交差点の光の中にはもう基次郎の姿はありませんでした。古びた路面電車がぎいぎいと音をたてて函館ドックの方へと曲がっていくところでした。

その時やっと基次郎の死を私は認めることができたような気もします。市内を吹き抜ける山背風に頬をさらされ、私は静かに目を閉じ、あの子は死んだのだ、と自分に言い聞かせたのでした。

どうか、お時間のある時に、基次郎の墓に立ち寄ってやってください。あの子が喜ぶ姿が目に浮かびます。

こうやって自分のことを手紙に書いていると心が癒されます。私の話を聞いて下さる人がいる、基次郎のことについてこれだけ話せる人がいるということが私にとってはどれほど幸せなことか。

あなたが基次郎の妹である以上、私にとってもあなたは娘のような存在にかわりはありません。あなたの人生に迷惑をかけるようなことはしませんから、本当に時々この地へお立ちよりください。そしてその後のあなたの人生を私に話して聞かせてください。私は基次郎のように、じっとあなたの言葉に耳を傾け、そして彼のように優しく微笑み返したいと思います。草々

六月七日
長沢蕗乃

遠野李理香さま

追伸　同封しましたのは、基次郎の子供の頃の写真です。一緒に写っているのは私の夫、長沢健次郎です。二人は数年間しか一緒に暮らしてはおりませんから、父と息子というような感じではありませんが、とても仲が良く、昔は船のりだったあの人のことを基次郎は親として大変尊敬しておりました（夫は陸にあがった後、貿易会社に

勤めることとなり、そこであなたのお父さまと知り合うことになるのです)。だからあの人の急死に基次郎は大きなショックを受けて、三ヵ月ほど声が出なくなったものです。もちろん、二人の横に写っているのは私です。大きな鍔広《つばひろ》の帽子などかぶって気取っておりますが、この日は化粧をしていなかったのでこれでごまかしているのです。

前略
やっと暖かくなってまいりましたが、そちらの方はもう初夏真っ盛りという感じではないでしょうか。一度も東京には出たことがないので、下北沢というところがどんなところか想像もできないのですが、時々テレビなどで若者の街として紹介されているのを見ては、そこで元気よく子供たちと過ごしている李理香さんのことを想像してやみません。

きっと下北沢の街も、今頃は街路樹が緑に包まれ、美しく街を彩《いろど》っていることでしょうね。李理香さんはその光のなかでお元気にご活躍のことと思います。

先日は、息子の墓参りに立ち寄って頂き、ありがとうございました。息子を亡《な》くしてから、気の晴れない日が続いていましたが、あなたの健康的な顔を見てからは、私も頑張らなければ、といっそう自分を励ましている次第です。それから安藤さんにも、よろしくお伝えください。会ったこともない基次郎の墓前であんなに長く手を合わせて、いったい彼は基次郎と何を話し合っていたのでしょう。うすうすですが私には想像ができます。いい知らせがもうじき届くのだな、と楽しみでなりません。いえ、こんな勝手な想像はいけませんね。でも、それくらいしか私には楽しみがないので勘弁してやってください。

基次郎もきっと嬉しかったに違いありません。あなたが墓前に手を合わせている時の、光の跳ね方で分かりました。まるで李理香さんの体が光に包みこまれているようでした。一瞬ですがあなたの頭部から足にかけてさーっと一条の光が流れ落ちていくのが見えました。すぐ近くまで基次郎は降りてきていたのだと思います。

基次郎は自分の妹を励まし、導いてから、この世を去ることができました。それは彼の不運な人生においてはもっとも幸福な一時でありました。これも神のおかげなのでしょう。今はそういう風に思うようにしております。短い人生でしたが、彼は文通を通して充実した日々を最後に送ることができた、と思うのです。

だから時々私は郵便配達の人に向かって、ありがとう、と声をかけてしまうのです。彼らの努力があってこそ、あなたたちは兄妹《きょうだい》として結ばれることができたのですから。

この時間、世界中の国々で郵便屋さんが活躍しています。どれほどの配達人がいるのでしょう。数えきれないくらいの郵便屋さんが世界狭しと走り回っていることだと思うのです。そう想像するだけで、私は元気になります。世界中の人たちの思いを彼らは運んでいるのですよ。インターネットで簡単にアクセスできる時代に。山を登り、川を渡り、どこへでも行くのだから、なんともたくましい。

いえ、私だってメールくらいやります。アドレスだってちゃんと持っている。でも大切な用件は手紙になります。相手にきちんと心を届けたい時はちゃんとペンを握ります。字が汚いからワープロで、とは思わない。だってそのくだけた字の中にこそ、人間らしさがあるのですから。

基次郎が文通にこだわった気持ちが私にはよく分かります。あなたがその文通を面倒くさがらないでくれたことも幸いでした。だからまた手紙を書きたいと思います。基次郎のことを誰かに話したくなったら私は李理香さん、あなたに手紙を認《したた》めます。

これからも読んでいただけたら嬉しいです。

お時間のある時また、基次郎の生きたこの町にぜひ遊びにいらして下さい。あなたが、基次郎の部屋へあがって下さったことも、彼にとっては嬉しかったはずです。私も嬉しかった。あの部屋はまだずっと残しておくつもりです。あなたに家族ができて、旅行をしようということになったら、どうか基次郎の部屋を使ってやってください。私は北海道の母としてあなたたちを心よりもてなしたいと思います。

どうしても、内容が基次郎のことばかりになってしまいますね。しかたないけれど、最後に私のことを、一つ。どうか笑わないで聞いて下さいね。

私は、今度再婚をしようかと考えているのです。基次郎の入院中から、ずっと心の支えになってくれた方がいまして、基次郎の一周忌がすんだ直後に結婚を申し込まれたのです。奥様を早くになくされて、お子さんもいらっしゃらないので、私と似た境遇の方です。なにより優しい方で、会ったこともない基次郎のことを、いつも親身になって心配してくださっていたのです。最後まで、基次郎には、その人のことは打ち明けられなかったけれど、代わりに李理香さんに、許可を頂こうとおもいます。李理香さんが基次郎に代わってわたしたちを祝福してくれたら、私も安心して再婚できるのですが。

とりとめのない内容になりそうなので、今日はここで筆をおくことにいたします。安藤さんにもどうかよろしくお伝えください。お二人がいつまでも仲良く幸せであることをお祈りいたしております。

草々

七月三日

長沢路乃

拝復

お元気な様子、安心いたしております。そして幸福なニュースでした。再婚の話、きっと兄さんも喜ぶのではないかと思います。たった一つしかない人生です。どうか迷わず、ご決断ください。

それから、お墓参りのときは、いろいろとありがとうございました。友だちまで連れていきかえって気をつかわせてしまいました。それにおいしい郷土料理までごちそうになってしまって。おいしかった。あんなにおいしい魚はなかなかこちらでは食べることができません。いかのゴロ煮は絶品でしたね。

次のお墓参りの時にも、またあの店へ連れていってください。こんどはその再婚相手の方と三人で、いえ安藤君もいれて四人でのお食事になりますね。

それにしても、基次郎の部屋は印象的でした。まるで額縁のない絵画のようだった。静かな空気がまだぴんと一本張られているような緊張感もあり、へんな言い方ですが部屋そのものが生きているようでした。

中に踏み入ったとたん、ぞくぞくと背筋に何かを感じました。ここでモトは育ったのだな、と胸がいっぱいになりました。一つ一つの家具や置物が呼吸をしていて、兄がまだ生きていてそこで生活をしているように感じました。いや、兄はまだ生きているのです。基次郎はしっかりと生きています。私はあの部屋にあがった瞬間、兄の生の匂《にお》いを感じました。存在を見つめました。彼の命の中にもぐり込むことができたように思います。同じことを安藤君も言ってました。

基次郎と文通ができてよかった。こうして命の尊さや重さも知ることができたのですから。私は自分の人生を決して粗末にはしないことを誓います。どうか、お母様も、素晴らしい第二の人生を謳歌《おうか》してください。それが、兄の願いでもあるのです。

七月八日
遠野李理香

長沢蕗乃さま

遠野李理香さま

基次郎は、やっぱり忘れられないただ一人の息子です。いつも、どんな時も、ふと思い出す。記憶とは苦しいもの。あの子だけが私の人生だったから、この死も基次郎が生きた長さと同じだけの癒《いや》しの時間が必要のようです。もう大丈夫よ、私は新しい人生を生きていける、と思っていたのに、そんなことは決してないのですね。寂しさはふっと突然に私に襲いかかるのです。雪がふるたび、風がふくたび、雨が打つごとに、愛した子供のことを思い出すに違いありません。いつかまたあの子に会いたい。

同封いたしましたのは、基次郎が病室でつけていた日記のあなたのことに言及する箇所のコピーです。基次郎は、時々日記をつけておりました。このあいだ家に立ち寄ってくださった時にお見せすればよかったのですが、あなたに会えて舞い上がってしまい、すっかり忘れていました。本当なら、日記を全部お見せするべきでしょうが、基次郎も恥ずかしいでしょうから、私の勝手な判断で、その一部をお見せします。今後ともどうかよろしくお付き合いください。お元気で、どうか無理なさらないでくださいね。

八月十五日

蕗乃

**五月八日**

今日、李理香から手紙が届いた。この手紙をもうずっと待っていた。人間って待つ動物なのだ。人間ほど待つ動物はいない。人間は待つために生まれてきたに違いない。死を誰よりも明確に待つ僕。だから僕ほど人間らしい人間はいないのではないかと時々考えてはおかしくなる。

僕は手紙が届くたびに、自分が生き延びることを許されたような気がする。一つ一つの手紙に、延命の希望が封印されているような気がするのだ。僕のただ一人の妹。ただ一人の尊い妹よ。自分に妹がいたのだ、と知った時の喜びは大きかった。もう血のつながった人間とは出会えないと思っていたんだから。会いたい。会っていろいろと話してみたい。それぞれの人生について、そして李理香の未来をいっしょになって応援してあげたい。だって彼女は僕の世界でただ一人の妹なんだもの。あの子が幸福になるのを見守ってあげたい。

僕の作戦通り、あの子は僕が誰かということには気がついていない。あの子をだますようでつらい。これが本当に正しい方法かどうかはわからない。素直に僕がお前の兄だよ、と名乗りでるべきだったのではないかと考える。そして自分の余命はもう幾許《いくばく》もないのだ、と明かすべきだったのではないかと悩んでしまう。いや、でもそれはダメだ。あの子はいま人生のどん底にいる。これ以上彼女を悲しませるのは、不幸な人生に追い打ちをかけるようなものだ。たった一人で生きてきたところへ兄が現れ、その孤独から引き上げたとたんに僕は死んでしまうのだから。それは天国から地獄へ突き落とされるようなものだろう。そんなことは絶対に許されない。だからこそ、僕は文通という方法を考え出したのだ。この方法ならば、これらの嘘《うそ》を隠しながら、李理香の人生を励ましていくことができる。

いつかなんとか理由をつけて、僕はこっそりと身を引けばいいのだ。そして兄であることを封印してこの世を去ればいい。僕は星になって、空の上から李理香を励ましてやるんだ。これでいいのだ。

**五月十日**

父の居場所を李理香に伝えるべきか悩んでいる。時間のない僕は、いまさら会ってもしようがないが、これからも生きつづける李理香はどうなのだろう。血のつながった父が、どういう人生を送っているのかわからないので、安易には会わせられない。もしそこで李理香がもっと傷つくことになるならば、会わせない方がいいだろう。

三原さんに頼んで、様子を探ってもらい、もし大丈夫そうなら、三原さんを通して李理香に父のことを伝えてもらうのがいいだろう。悩んだ李理香はきっと僕に相談してくるはずだ。そしたら僕はさりげなく会ってみたらどうか、とすすめてみる。その後は慎重に彼女の心をコントロールしてあげよう。その人が李理香の父親としてふさわしくないのなら、それはそれまでの話だろう。でも今は可能性の芽をつむわけにはいかない。僕がいなくなった後、彼女が天涯孤独になるのだけは避けたい。

父？　僕にとってはあんな人間は父ではない。僕の父はただ一人。長沢健次郎だけ。そして母は長沢蕗乃だけ。

## 五月二十七日

送られてきた手紙を、すぐに開封しないのは、その余韻をできるかぎり楽しむためでもある。抱きしめたり、眺めてみたり、時には匂いなんかもかいだりする。匂いをかぐなんて普通じゃないけれど、変なたとえだが、手紙から漂う香りこそ妹そのものでもあるように感じる。手紙だからこそ、そう思えるんだと思う。

## 七月十八日

僕がかならず追伸を書く理由は、つまりまた返事がほしいからなんだ。返事を毎回要求するわけにはいかないから、それとなくいろいろ質問してしまうのだ。

さあ、これから、僕は李理香からの手紙を開封することにする。そして今夜はまた眠れないほど李理香の人生について考えることになるだろう。

## 九月九日

自分が嘘をついて文通をしていることに、今日大きな責任を感じた。今からでも自分の正体をあかすべきではないのだろうか。そして残り時間が短いとしても二人は会うべきなのではないだろうか。僕は会いたい。僕は会って、妹の顔をみたい。でも、でもやっぱりダメだ。糠《ぬか》喜びの後に谷底に突き落とすようなことはしたくない。それは自分にとっては楽になることだろう。死に直面している身なのだから、妹の存在は大きな気休めになる。でも函館まで呼び出して、彼女に僕がもうすぐいなくなるのだと誰が告白できるものか。この病院にきて、僕のこのやせ衰えた姿を見たとたん、すべてはばれてしまうじゃないか。そんな残酷なことはできない。

ああ、僕はどうしたらいいのだろう。僕はどうすればいいのか。

十月一日
死にたくない。ふと自分が死ぬということが理解できなくて、混乱してしまう。

十月十二日
まだ李理香を励ましきれていない。今僕がいなくなったら、あいつはまた悪い感情に負けて、ダメになってしまうに違いない。僕はまだ死ぬわけにはいかないのだ。そうだ神様、僕を平均寿命の三分の一でいいから、もうしばらく生かしてほしい。あとせめて一年か二年、生かしてもらえないだろうか。なんとか李理香をあの地獄のような世界から救い出さなくてはならないのだから、僕には時間が必要なのだ。そのためだけにも僕は死にたくない。

十月三十日
いったい誰に向かってこの日記をつけているのだろう。僕の死後、この日記を読むことになるだろう全《すべ》ての人に向けて、僕は最後のけじめをつけるために書いているのかもしれない。それはよっぽどのおひとよしな行為である。

十一月四日

李理香は僕を必要としてくれた。僕に手を差し伸べてくれた。僕のアドバイスを待っていてくれる。待っていてくれる。僕は兄として役に立っているのだ。

僕はなんども彼女の手紙を読み返した。何度も、何度もだ。そして手紙にキスをした。李理香、お前は僕のビーナス。お前は僕の分まで生きなければならない。絶対に生を軽んじてはならない。ひたりきって人生を謳歌しなければならない。

十二月二十四日

手紙を封印する時、そして開封する時、ほんの一瞬、僕は神様に感謝している。

# 辻仁成 作品リスト ［二〇〇三年十月現在］

『ピアニシモ』集英社（一九九〇年一月）→集英社文庫（九二年五月）
『クラウディ』集英社（一九九〇年六月）→集英社文庫（九三年三月）
『カイのおもちゃ箱』集英社（一九九一年六月）→集英社文庫（九四年三月）
『旅人の木』集英社（一九九二年一月）→集英社文庫（九五年六月）
『ガラスの天井』集英社（一九九二年三月）→集英社文庫（九七年七月）
『屋上で遊ぶ子供たち』集英社（一九九二年十月）
『フラジャイル――こわれもの注意』徳間書店（一九九二年十月）
『そこに僕はいた』角川書店（一九九二年十一月）→新潮文庫（九五年六月）
『グラスウールの城』ベネッセコーポレーション（一九九三年六月）→新潮文庫（九六年六月）
『希望回復作戦』集英社（一九九三年八月）
『ミラクル』［絵／望月通陽］講談社（一九九三年十一月）→新潮文庫（九七年八月）
『オープンハウス』集英社（一九九四年三月）→集英社文庫（九八年三月）
『母なる凪と父なる時化』新潮社（一九九四年五月）→新潮文庫（九七年三月）
『ここにいないあなたへ』［写真／安珠］集英社（一九九五年一月）
『愛はプライドより強く』幻冬舎（一九九五年四月）→幻冬舎文庫（九八年四月）

『ぼく、いたくない』[絵／すがまりえこ] 新書館（一九九五年七月）
『錆びた世界のガイドブック』幻冬舎（一九九五年十月）
『応答願イマス』思潮社（一九九五年十一月）
『パッサジオ』文藝春秋（一九九五年十一月）→文春文庫（九八年十一月）
『アンチノイズ』新潮社（一九九六年一月）→新潮文庫（九九年三月）
『ニュートンの林檎』（上／下）集英社（一九九六年四月）→集英社文庫（九九年六月）
『音楽が終わった夜に』マガジンハウス（一九九六年九月）→新潮文庫（九九年九月）
『函館物語』集英社文庫（一九九六年九月）
『きょうのきもち』[イラスト／日比野光希子] フレーベル館（一九九六年十月）
『海峡の光』新潮社（一九九七年二月）→新潮文庫（二〇〇〇年三月）
『愛の工面』幻冬舎文庫（一九九七年四月）
『白仏』文藝春秋（一九九七年九月）→文春文庫（二〇〇〇年八月）
『辻仁成詩集』思潮社（一九九七年十月）
『僕のヒコーキ雲 日記1994－1997』集英社（一九九七年十二月）
『世界は幻なんかじゃない』角川書店（一九九八年二月）→角川文庫（二〇〇一年九月）
『ガンバルモンカ』角川 mini 文庫（一九九八年五月）
『ワイルドフラワー』集英社（一九九八年十月）→集英社文庫（二〇〇一年十月）
『五女夏音』中央公論新社（一九九九年一月）→中公文庫（二〇〇一年十月）

『冷静と情熱のあいだ Blu』角川書店（一九九九年九月）→角川文庫（二〇〇一年九月）
『千年旅人』集英社（一九九九年十一月）→集英社文庫（二〇〇二年十一月）
『ニューヨーク ポエトリー キット』思潮社（二〇〇〇年二月）
『嫉妬の香り』小学館（二〇〇〇年六月）
『辻仁成 青春の譜―ZOO』幻冬舎文庫（二〇〇〇年八月）
『愛をください』マガジンハウス（二〇〇〇年九月）→新潮文庫（本書）
『サヨナライツカ』世界文化社（二〇〇一年一月）→幻冬舎文庫（〇二年七月）
『恋するために生まれた』［共著／江國香織］幻冬舎（二〇〇一年六月）
『冷静と情熱のあいだ』［愛蔵版 共著／江國香織］角川書店（二〇〇一年六月）
『太陽待ち』文藝春秋（二〇〇一年十月）
『目下の恋人』光文社（二〇〇二年一月）
『辻仁成＋種田陽平式 映画づくりの旅』［共著／種田陽平］世界文化社（二〇〇二年三月）
『そこに君がいた』新潮文庫（二〇〇二年七月）
『彼女は宇宙服を着て眠る』幻冬舎文庫（二〇〇二年十二月）
『愛と永遠の青い空』幻冬舎（二〇〇二年十二月）
『ZOO――愛をください』河出書房新社（二〇〇二年十二月）
『オキーフの恋人 オズワルドの追憶』（上／下）小学館（二〇〇三年四月）
『99才まで生きたあかんぼう』集英社（二〇〇三年六月）

作中に登場する養護施設や保育園などは全てフィクションであり、実在の施設・団体とは一切関係ありません。

この作品は平成十二年九月マガジンハウスより刊行されました。

愛《あい》をください

新潮文庫　つ-17-9

平成十五年十二月一日発行

著者　辻《つじ》仁《ひと》成《なり》

発行者　佐藤隆信

発行所　株式会社 新潮社

郵便番号 一六二—八七一一
東京都新宿区矢来町七一
電話 編集部(〇三)三二六六—五四四〇
読者係(〇三)三二六六—五一一一
http://www.shinchosha.co.jp

価格はカバーに表示してあります。

乱丁・落丁本は、ご面倒ですが小社読者係宛ご送付ください。送料小社負担にてお取替えいたします。

印刷・株式会社三秀舎　製本・加藤製本株式会社



ISBN4-10-136129-0 C0193